ANIMALES
COMO TÚ

ISMAEL LÓPEZ DOBARGANES

Las historias más bellas
de la Fundación Santuario Gaia

ANIMALES COMO TÚ

Duomo ediciones

Barcelona, 2021

Título original: *Animales como tú*

© 2020, Ismael López Dobarganes
© de esta edición, 2020 por Antonio Vallardi Editore S.u.r.l., Milán
Todos los derechos reservados
Primera edición: noviembre de 2020
Quinta edición: octubre de 2021
Duomo ediciones es un sello de Antonio Vallardi Editore S.u.r.l.

Avda. Riera de Cassoles, 20 3.º B. Barcelona 08012, (España)
www.duomoediciones.com
Gruppo Editoriale Mauri Spagnol S.p.A.
www.maurispagnol.it

ISBN: 978-84-18128-19-9
Código IBIC: FA
DL B 19.428-2020

Diseño de interiores y composición:
Emma Camacho

Impresión:
Grafica Veneta S.p.A. di Trebaseleghe (PD)
Impreso en Italia

A mi mejor amigo, Samuel, el toro que me hizo ver que no solo los humanos practicamos la empatía y no somos los únicos capaces de comunicarnos y entender el entorno en el que vivimos, conscientes de todo lo que pasa. Y, por supuesto, a Coque, porque sin él todo esto no sería posible y porque lo quiero con toda mi alma. Ellos son los dos grandes amores de mi vida.

Cuando era pequeño participaba en la matanza tradicional del cerdo. Y ahora, cada vez que estoy con un cerdo en el Santuario, rescatamos alguno o veo el carácter que tienen, lo sociables y cariñosos que son, no sé cómo pude participar en esas matanzas. Es difícil de explicar la sensación que tengo, pero es como que estoy resarciéndome de todo el daño que les he hecho y ahora entrego mi vida para poder salvarlos y ayudarlos.

COQUE FERNÁNDEZ ABELLA,
Veterinario y cofundador de
Fundación Santuario Gaia

ASÍ EMPIEZA TODO

Hace una semana se murió mi mejor amigo, y llevo en la cama cuatro días sin poder mover los brazos ni los dedos de las manos, tengo el ojo izquierdo caído y me invade una profunda tristeza.

En este momento tan duro de mi vida, siento que hay quienes se aprovechan para atacarme a través de las redes sociales y se burlan de mí porque tuve un ataque de ansiedad cuando encontré a mi mejor amigo muerto. A Samuel, un toro.

En esta soledad y tristeza que me invaden hasta tal punto de no querer seguir viviendo, pienso en todas las historias que he vivido en los siete años que llevo rescatando animales —más de 1.200 vidas con un pasado de maltrato, abandono o explotación—, a quienes hemos conseguido hacer felices, dándoles una vida digna y en libertad.

Me quedo fijamente mirando una fotografía en la que estoy abrazando a Samuel, y mientras se me caen las lágrimas me viene un pensamiento: estoy así porque he tenido la inmensa suerte de conocer cómo son los animales a quienes nos comemos, pero si hace diez años me hubieran dicho que mi mejor amigo iba a ser un toro, me habría reído. Quizás esas personas que se burlan no entienden la pasión, el amor hacia los animales y la suerte que he tenido de poder conocerlos de verdad. ¿Qué ha pasado a lo largo de mi vida para llegar al punto de cambiar mi visión sobre ellos?

LULÚ, LA GRAN AMIGA EN EL BARRIO

«No se tienen dos corazones, uno para los humanos y otro para los animales. O se tiene corazón o no se tiene.»
ALPHONSE DE LAMARTINE (1790-1869)

Ya de muy pequeño sentí la llamada del mundo animal. Literalmente.

Cuando tenía cinco años, una tarde de invierno en la que paseaba con mis padres y mi hermana Elena por los alrededores de mi barrio, Los Montecillos, en Dos Hermanas, pasamos por delante de una tienda de animales. En su escaparate había crías de caniche muy tristes, y quise entrar. Al verme, una perrita toda blanquita comenzó a llorar, llamándome, y les pedí a mis padres que por favor me la compraran; me daba mucha pena. Después de una pequeña discusión, accedieron.

Me la llevé a casa acurrucada en mi pecho, dentro del abrigo, para que no pasase frío. La primera noche la puse a dormir conmigo en mi cama sin que mis padres se enterasen (me habían advertido de que no lo hiciera). La llamé

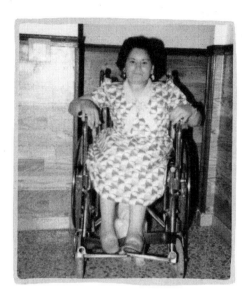

Lulú y se convirtió en mi amiga. Le encantaba ir a recoger-me a la puerta del colegio.

Desde que nací, mi madre ha estado en una silla de rue-das sin poder caminar. Un día, Lulú comenzó a mostrar un comportamiento muy extraño: se pasaba todo el día debajo de la silla de mi madre, y cuando alguien se acercaba, ella le gruñía. Con el tiempo descubrimos que mi madre estaba embarazada. Lulú lo había sabido desde el principio. Cuan-do nació mi hermano Pedro José se pasaba todo el tiempo debajo de su cuna. Si él se despertaba, Lulú venía al salón a avisarnos. Recuerdo con mucho cariño cómo jugaban los dos cuando él comenzó a gatear. Era muy divertido: le qui-taba toda la ropa y le dejaba solo el pañal.

Una noche se puso muy enferma y murió en mis brazos. Lloré tanto que se me oía desde la calle, y sucedió algo que nunca olvidaré y que, según creo, ha quedado en la historia del barrio. Uno tras otro, vinieron los vecinos a darme el pésame. Ellos también habían querido mucho a Lulú, que siempre jugaba con todos los niños.

Tuve que calmarme por el bien de mi hermano, que desde que nació se había criado con ella. Su muerte le afectó tanto que dejó de jugar, hasta que una noche de Reyes Magos nos despertaron los ladridos de Simba, un cachorrito al que mis padres adoptaron, salvándole la vida.

Los Montecillos era un barrio muy humilde, de gente sencilla y con pocos recursos. Los niños nos pasábamos las tardes jugando con cajas de cartón y compartiendo lo poco que teníamos. Eran otros tiempos, en los que una simple piedra podía tener un gran valor. Creo que aquella manera de vivir nos hacía valorarlo todo más. Como la amistad de mi perrita.

A raíz de su muerte, muchos comenzaron a adoptar perros que necesitaban ayuda. Lulú despertó algo en todos nosotros que nos hizo ver a los animales de otra manera, como amigos. Y los amigos no se compran ni son una mercancía con la que lucrarse.

MÁS VALE CIENTO VOLANDO QUE PÁJARO EN MANO

«No sabemos nada realmente del amor si no queremos a los animales.»
FRED WANDER (1917-2006)

Siempre hay quien dice que el amor trae problemas. Es una tontería, claro, pero, de niño, el mío por los animales sí que me costó algún cachete que otro.

Me eduqué pensando que amaba a los animales porque me gustaba estar con ellos. Pero, desde el principio, una voz interior me decía cuándo algo no estaba bien y me hacía actuar de manera diferente al resto de personas que me rodeaban. Eso me trajo algunos problemas.

A mi padre le encantaba tener aves para oír sus cantos, y he de confesar que también disfrutaba mucho con estos. Pero esa voz que sonaba en mi interior me decía que esa no era la manera, que las aves enjauladas no podían volar.

Como era normal por aquella época en Sevilla, o al menos en mi pueblo, mi padre iba al campo a poner pegamento en los árboles para capturar aves que vivían en libertad.

Recuerdo la última vez que me llevó con él porque el lugar estaba lleno de restos y olía muy mal. Imagino que era un matadero; hoy solo recuerdo que estaba a la salida de Dos Hermanas y que mientras mi padre ponía el pegamento, observaba los restos de los animales muertos que había por todos lados. Me hizo sentir mucho miedo.

Aquel día algo pasó en mi cabeza al ver aquel infierno. Cuando vi que mi padre se iba a poner pegamento por otra zona, cogí tierra y la eché sobre el pegamento para que ningún pájaro quedara atrapado. Él se dio cuenta y se enfadó tanto que me pegó y me llevó a casa, furioso.

Un día en que llegó tarde de trabajar se presentó con un pájaro. Dijo que le había costado mucho cogerlo y lo metió en una jaula. Estuve mucho tiempo observándolo: el pobre solo quería escapar. Sin pensarlo, le abrí la puerta de la jaula para que se fuera volando.

Seguramente lo hacía por mí, porque me los daba con mucha ilusión, pero yo no soportaba verlos sufrir de esa manera. ¿Cómo le iba a gustar a un ave estar encerrada en una jaula pudiendo estar volando por el cielo?

Quizás los cantos que tanto me gustaba escuchar no eran más que gritos del pájaro llamando a los suyos para que le ayudaran a escapar.

El caso es que mi padre se cansó de mi actitud y ya no trajo ni un ave más. Y ese sí fue el mejor regalo que pudo hacerme.

EL NIÑO QUE SUSURRABA A LAS VACAS

«Hasta que no hayas amado a un animal,
una parte de tu alma permanecerá dormida.»
ANATOLE FRANCE (1844-1924)

Mi abuelo por parte de madre, Pedro Dobarganes Soria, era huérfano desde que perdió a sus padres durante la Guerra Civil, con solo cinco años, y fue criado por los vecinos de su pueblo, Algámitas, en la sierra de Sevilla. De adulto vivió en la facultad de Matemáticas de la ciudad, donde era guarda jurado.

Muchas noches, cuando hacía la guardia en verano y nos tumbábamos los dos sobre un colchón en la azotea de la facultad, me enseñaba los nombres de las estrellas y me contaba historias de su infancia, cuando se dedicaba a cuidar el ganado para poder comer. Pasaba las noches solo en la sierra, llorando de miedo.

Desde pequeño siempre quise ser como mi abuelo, una persona buena a la que todo el mundo quería, y que no tenía nada porque compartía lo poco que le llegaba a las

manos. Siempre volvía al pueblo en el coche de mi tío José Luis lleno de cosas que habían tirado en la capital pero que a sus amigos les servirían. Me encantaba acompañarlo y ver cómo lo recibían todos al llegar. Me sentía muy orgulloso de mi abuelo.

En una de aquellas ocasiones fue a llevarle cosas a un amigo que tenía vacas lecheras. Cuando llegamos, el ganadero iba a sacarlas a pastar por el monte y, al verme, las vacas y el toro se acercaron para olerme. En vez de tener miedo, que hubiera sido lo normal porque tan solo tendría unos siete años y los animales eran inmensos a mi lado, sonreí muy feliz, como si fuéramos amigos de toda la vida.

El ganadero les daba a las vacas con un palo para que caminaran, cosa que a mí no me gustó nada. Para evitarlo, les hablé a las vacas y al toro y les pedí que me siguieran. Lo curioso es que lo hicieron.

Recuerdo muy bien el momento no solo por el resultado, sino también porque el ganadero le dijo a mi abuelo que tenía algo especial, que lo que las vacas estaban haciendo conmigo no era normal. Nunca olvidaré la mirada orgullosa que me dedicó mi abuelo.

LA TAURINA QUE ME HIZO VEGETARIANO Y EL TERNERO QUE ME HIZO VEGANO

«Si los mataderos tuvieran paredes de cristal,
todos seríamos vegetarianos.»
PAUL McCARTNEY (1942)

Es natural que, después de tanto estar con animales, a uno se le pasen las ganas de comérselos.

Pero no siempre había pensado así. Mi camino hacia el veganismo comenzó en 2009, mientras veía vídeos de antitaurinos en YouTube que se manifestaban contra las corridas.

Comencé a agregar a gente de esos círculos a mi Facebook. Algunos eran vegetarianos y veganos que compartían vídeos sobre mataderos y el maltrato que sufren los animales en las explotaciones ganaderas. Aquello me hizo sentir mal, aunque no me veía capaz de dar el paso: me encantaba la carne y, sobre todo, el jamón serrano. Me agobiaba la idea de no volver a probarlos. Además, ya se sabe que los veganos son unos radicales amargados, ¿no?

El jueves 7 de agosto de 2009 asistí a mi primera manifestación antitaurina en Palma de Mallorca, donde vivía desde hacía unos años. Mientras estaba a las puertas del coliseo balear con una pancarta defendiendo que no mataran a los toros, una mujer mayor que iba a entrar a disfrutar de cómo los maltrataban y los asesinaban se plantó frente a mí y me dijo con muy mala leche: «Tú mucho defender a los toros, pero bien que te comes a las vacas». En ese momento no supe qué contestarle, pero una chica que estaba a mi lado y que era vegana le dijo que ella no se las comía. Me sentí tan mal conmigo mismo que apenas hablé durante aquel fin de semana; tenía que hacerme vegetariano sí o sí. Fue una gran lucha interior, pero ganaron la coherencia y la empatía: desde el lunes 10 de agosto de 2009 dejé de comer animales. Las primeras semanas sí consumí huevos y productos lácteos, porque había renunciado al sabor del jamón, pero al queso, eso sí que no.

Aquello no duró mucho más tiempo, ya que quise ver con mis propios ojos lo que ocurría en las granjas lecheras. Ese día me marcó para siempre. Tanto, que me hice un tatuaje en el brazo derecho por si algún día sentía la tentación de volver a comerme un trozo de queso. Eso me recordaría todo lo que vi: madres desesperadas llamando a los hijos que les habían robado para enjaularlos lejos de ellas.

Ya había visto publicaciones en las que contaban todo aquello y más, como que las vacas son inseminadas artificialmente cada año para que tengan un hijo y, nada más nacer, se lo quitan para que no se beba la leche que venderán a los humanos. Antes yo creía que las vacas dan leche siempre; nunca me había parado a pensar en que son iguales que cualquier mamífero y solo producen leche cuando tienen un bebé, para alimentarlo.

Me acerqué a una de esas jaulas donde los bebés lloraban por estar con sus madres y metí la mano. Uno de ellos comenzó a chuparme los dedos, y me derrumbé al comprobar que tenía hambre. Apenas tenía unos días de vida y no podía estar junto a su madre. Le pedí perdón por no haberlo entendido antes y me fui donde estaban las vacas adultas. Me arrodillé ante ellas y les dije que iba a dedicar mi vida a salvarlas. En ese momento una sacó la cabeza y me lamió la frente. Rompí a llorar. Jonathan, un activista vegano que venía conmigo para sacar fotografías y mostrar lo que allí pasaba, tomó una de ese momento, que enseguida se hizo viral.

Desde aquel día mi vida cambió, gracias a esa experiencia y a Aïda Gascón, directora de AnimaNaturalis España, que creyó en mí y me puso al frente de la asociación en las Islas Baleares. Me impliqué tanto en la lucha que organizábamos hasta dos y tres actos por semana en Palma para concienciar sobre el trato a los demás animales.

Recuerdo un acto frente a El Corte Inglés de Avenidas; protestábamos por el uso de animales en los circos con unos carteles en folios que había impreso en mi trabajo. Nos decían que éramos tres gatos y era cierto (o casi: en realidad éramos cuatro), pero el número fue creciendo semana tras semana. Nunca me hubiera imaginado que en mi querida isla tantas personas iban a cambiar sus vidas.

Me ascendieron a coordinador nacional de la campaña Circos Sin Animales, y en las islas conseguimos que estos fueran prohibidos en trece municipios. Qué momento tan bonito vivimos en ese pleno del Ayuntamiento de Palma el día que se promulgó la ley; no paré de llorar.

Hasta entonces, y durante años, había recibido muchos golpes por parte de trabajadores del circo, gente que actuaba contra nosotros con mucha violencia sin que nosotros respondiéramos nunca igual. Me decían que era el líder de la secta con la polla grande, dando a entender que las activistas estaban allí porque me acostaba con ellas. Nos reíamos mucho: era curioso que no notaran la pluma que tengo, y que me gusta más una barra de seitán. Era una broma entre nosotros los activistas, que me llamaban el Sultán del Seitán. Sabíamos que la nuestra es una lucha lenta y que todo ha de hacerse poco a poco, así que mejor tomárnoslo con humor.

MULÁN, LA PERRITA DEL 15M

> «Mientras el círculo de su compasión
> no abarque a todos los seres vivos, el
> hombre no hallará la paz por sí mismo.»
> ALBERT SCHWEITZER (1875-1965)

Cuando comencé mi activismo, tenía adoptado a Chunga, un perro mestizo que hasta entonces había vivido en una finca con mucho miedo. Aunque es macho, le di ese nombre por una compañera de trabajo a la que yo también llamaba así. Encajaba perfectamente: tanto la Chunga humana como el animal escuchaban cuando querían y hacían siempre lo que les daba la gana.

Al entrar en el mundo animalista empecé a concienciarme de las necesidades que tienen las protectoras, ya que todas están desbordadas. Fui a la Protectora de Animales y Plantas de Palma para adoptar a otro perro, Wall·e, ya que podía permitírmelo.

Pero para mí aquello (además de haberme hecho vegano) seguía sin ser suficiente. Por fin, decidí funcionar como casa de acogida. Así podía ayudar a las diferentes protectoras y refugios de la isla, e incluso lo hacía como particular cuando veía algún caso de animal abandonado en las redes sociales. Los tenía en mi casa hasta que les encontraba un hogar. También comencé a involucrarme en la esterilización de las colonias de gatos.

Fue en las redes donde vi que se estaba compartiendo el caso de una perrita de la perrera de Son Reus que tenía sarna y estaba muy mal. La tenían en una jaula oculta al público para que nadie la viera y no dar mala imagen al centro. Cuando vi su fotografía y leí su historia comprendí que no podía quedarme de brazos cruzados. Pero tenía que actuar rápido: la iban a sacrificar al día siguiente.

Enseguida me presenté en el centro para adoptarla. Fue complicado, porque negaban que estuviera allí, pero al final lo conseguí. Cuando me dieron a Mulán casi vomito: el mal olor que desprendía resultaba insoportable. Pero su mirada era tan tierna y llena de sufrimiento y dolor que se me partió el alma.

La llevé al veterinario y le diagnosticaron sarna sarcóptica. Me pasé tres semanas duchándome cuatro veces al día, porque lo que más necesitaba Mulán era amor, así que dormía conmigo en la cama.

Como no respondía bien al tratamiento, la llevé a otra clínica donde le diagnosticaron sarna demodécica, infección de oídos, luxación en la rodilla derecha y alergia cutánea. Le dieron un nuevo tratamiento con el que comenzó a mejorar.

En las redes sociales todos se habían enamorado de Mulán y estaban encantados con su gran cambio, tanto físico

como mental. Era mi niña mimada; me la llevaba a todos lados para no dejarla nunca sola. Se acostumbró a acompañarme en mis viajes en bicicleta por la ciudad, superfeliz dentro de una mochila.

Durante el 15M, cuando estuve acampado en la que llamábamos la Plaza de Islandia (Plaza de España) de Mallorca, Mulán también les robó el corazón a todos; aunque la primera impresión fuese normalmente que alguien señalara la mochila y preguntara qué era aquel mal olor tan fuerte, en cuanto contaba su historia se enamoraban de ella.

Recuerdo aquellos tiempos con nostalgia. Fueron momentos de mucha esperanza. Debatimos sobre el trato que se les da a los animales, y el veganismo empezó a crecer en la isla. Al igual que con otras cosas, hubo un antes y un después del 15M. Y a mí me gusta pensar que, de alguna forma, también hubo un antes y un después de Mulán.

COQUE,
Y POR QUÉ ES VERDAD
QUE EL AMOR SALVA

> «*Los animales no odian, a pesar de que*
> *se supone que nosotros somos mejores.*»
> ELVIS PRESLEY (1935-1977)

En abril de 2012 recibí un mensaje por Facebook: alguien quería hablar conmigo. Pensé que era algo relacionado con el veganismo; por aquel entonces muchos me pedían ayuda para hacer la transición, así que le di mi número de teléfono. Esa misma noche me llamó y estuvimos hablando más de tres horas. Al colgar le dije a Diego, mi compañero de piso, que me había enamorado y que me daba igual cómo fuera él físicamente: quería conocerlo y estar con él.

Comenzamos a hablar todos los días, y a las dos semanas vino un *finde* a conocerme a Mallorca. Al vernos fue un flechazo. Lo normal en una primera cita es ir a tomar algo, una cena romántica..., pero yo me lo llevé a una granja de vacas lecheras para que viera su sufrimiento. Fue un día muy intenso de emociones, en el que también nos encontramos a unos perros perdidos y los rescatamos.

Aquel fin de semana Coque y yo nos hicimos una promesa: íbamos a dedicar nuestras vidas a salvar a los demás animales, y en un futuro crearíamos un Santuario para los llamados de granja, de los que muy pocos se preocupaban. Semanas más tarde dejaba mi querida isla para irme a vivir con él a Catalunya.

Alquilamos una casita en Dosrius que tenía un poco de terreno, ya que con los perros y gatos que habíamos rescatado entre los dos necesitábamos espacio. Y, claro, eso dio lugar a que pudiéramos hacer más rescates.

Un día nos fuimos a una granja de gallinas ponedoras de la zona, y le suplicamos al propietario que nos diera algunos de los animales que iban a enviar al día siguiente al matadero porque ya habían cumplido dos años explotados de

forma intensiva. Después de mucho insistir conseguimos que nos diera varias gallinas. Las pobres se encontraban en muy mal estado.

Ahí comenzó nuestro aprendizaje con estas aves, tan explotadas por sus huevos que apenas sabíamos nada de su comportamiento.

HEIDI, UNA GALLINA EN CASA

*«La cuestión no es ¿pueden
hablar?, sino ¿pueden sufrir?»*
JEREMY BENTHAM (1748-1832)

Entre las gallinas que rescatamos se encontraba Heidi, y establecimos un vínculo muy fuerte con ella. Le encantaba estar con nosotros, hasta el punto de que entraba en la casa por la ventana y, mientras yo trabajaba con el ordenador, se tumbaba en el sillón y me observaba. Tan cómoda se sentía en él que lo convirtió en el lugar donde poner sus huevos.

Nunca había visto en directo cómo era la puesta de un huevo, y me llamó la atención lo doloroso que les resulta. Fuimos aprendiendo muchas cosas sobre su comportamiento y su anatomía.

Por ejemplo, que la raza de Heidi, las llamadas gallinas ponedoras, fue creada por el hombre mediante procedimientos de selección genética, por supuesto con el fin de que pusieran más huevos de lo normal y así resultaran mucho más rentables.

Nunca hubiera dicho hasta qué punto esta ingeniería fue un éxito. Siempre que no importara el sufrimiento del animal, claro.

En la naturaleza las aves ponen huevos para criar. Dependiendo de la especie, dan como mucho unos treinta huevos al año, divididos en tres puestas. Sin embargo, las gallinas ponedoras dan más de trescientos, casi uno cada día. Es decir, el hombre ha conseguido hacer que esta ave sea diez veces más rentable de lo que es natural.

Pero un aumento tan increíble trae consecuencias para el animal. El cuerpo de las gallinas como Heidi no es capaz de soportar tanto desgaste. Si normalmente serían capaces de vivir unos quince años, en las granjas (tanto las intensivas como las ecológicas) se las envía al matadero después de tan solo un par de años. Es decir, viven siete veces menos tiempo del que deberían: el equivalente a un niño de once años.

Todo esto resulta muy triste, sobre todo teniendo en cuenta que esos dos años los viven encerradas, sin poder moverse ni llegar a ver nunca el sol o darse un baño de tierra, algo que les encanta.

¿Vale tanto sufrimiento una tortilla?

UN PAVO
SE ENAMORA DE MÍ

«Está muy claro que no somos los únicos seres inteligentes del planeta.»
JANE GOODALL (1934)

Cada día contábamos en Facebook las historias que nos sucedían con las gallinas que habíamos rescatado. Los amigos que tenía agregados lo vivían todo casi tan intensamente como Coque y yo; estaban enganchados a las aventuras de los animales.

Eso hizo que empezaran a llegarnos casos de gallinas y otras aves que necesitaban ayuda, como Guille, un pavo víctima de un desahucio.

Desde el día en que llegó, Guille y yo vivimos un verdadero flechazo. Me fascinaba su manera de andar, cómo le cambiaban los colores de la cabeza según su estado de ánimo... y tantas otras cosas que fuimos aprendiendo con el tiempo, porque la verdad es que al principio no sabíamos nada sobre los pavos.

A Guille empezó a gustarle entrar en la casa y estar a mi

lado. Si me veía sentado en el suelo, comenzaba a hacer un baile de cortejo a mi alrededor. Era muy gracioso: zapateaba y parecía que bailara flamenco.

Un día se me ocurrió hacer la gracia de grabarlo con unas sevillanas de fondo. Parecía que él seguía el ritmo. El vídeo corrió por las redes y los medios de comunicación, y hasta nos ofrecieron ir a programas de televisión con Guille. Por mucho que les explicáramos que en realidad solo se trataba de un baile de cortejo, les daba igual: deseaban explotarlo.

Por supuesto, nos negamos. Nuestros rescatados no estaban (y nunca estarán) para eso. No íbamos a explotarlos como diversión, y mucho menos en un plató de televisión, donde se estresarían.

Pero en las teles no lo entendieron. No quisieron ver algo que a nosotros siempre nos ha parecido obvio: el espectáculo nunca debería pasar por encima del sufrimiento. Ni humano ni animal.

PALMA Y LOS SEIS CERDITOS: EL SALVAMENTO QUE DIO A LUZ AL SANTUARIO

«Cuando un humano acoge y cuida a un animal hasta su muerte, un rayo de luz guía su vida para siempre.»
SAN FRANCISCO DE ASÍS (1181-1226)

Coque y yo apenas llevábamos tres meses viviendo juntos. Habíamos hecho unos pocos rescates, aunque los suficientes como para que nuestros seguidores en las redes sociales no dejaran de aumentar; estaban tan enganchados como nosotros mismos por conocer las historias de los animales con quienes convivíamos.

Para nosotros era todo nuevo. No teníamos experiencia en el trato con las aves sin explotarlas. Pronto vimos que, al mostrarles el mismo respeto que a los perros o a los gatos de nuestras familias, con los que a veces compartimos sofá y cama, no se comportaban de forma muy diferente a aquellos. Al contar con vídeos y fotos de lo que descubríamos, se creó una comunidad de seguidores que esperaba cada día una historia nueva con la que aprender sobre esos grandes desconocidos, los mal llamados animales de granja.

Por Facebook nos llegó un caso grave de maltrato en Valencia, donde en una finca en la que vivían más de sesenta perros, la mitad había muerto de hambre. Todos se preocupaban de ellos en las redes, al contrario que de tres cerdos vietnamitas a los que también había que salvar (otros tres habían muerto).

Teníamos que hacer algo, rescatar al menos a uno. Y así lo hicimos: el 3 de agosto de 2012 fuimos a Valencia a intentarlo.

En la finca conocimos al propietario de esos animales. Tuvimos que contenernos mucho para no decirle lo que pensábamos y transmitirle que queríamos ayudarlo.

Conseguimos que nos diera a una cerda. Tuvimos que ver cómo la golpeaba y no decir nada ni mostrar ningún malestar, no fuera a arrepentirse de dárnosla. Soy muy impulsivo y se me nota mucho cuando algo no me gusta, así que evité mirar y hablé de otras cosas. Nunca me habría perdonado si por mi culpa no la hubiéramos podido salvar. Pero fue muy duro.

Una vez conseguimos subir a la cerdita al maletero del coche —y no resultó nada fácil—, salimos de aquel lugar a toda velocidad. Fue el inicio de un gran camino hacia su libertad, y a la de cientos de animales que también acabarían siendo rescatados gracias a ella. Decidimos llamarla Palma, en homenaje a todos los años de activismo en la isla.

El regreso de Valencia a Barcelona fue horroroso, tanto por el calor como por la agresividad de Palma durante todo el viaje. Solo había conocido el maltrato, y no sabía lo que era una caricia o distinguir que le hablaban con dulzura.

Después de cuatro horas de viaje, llegamos justo cuando Coque tenía que entrar a trabajar, así que paramos delante de la clínica y yo seguí mi camino hacia nuestra casa con Palma. Estaba muerto de miedo, igual que ella. Nunca olvidaré el momento en el que bajó del coche y empezó a caminar por el jardín. Ella no sabía lo mucho que iba a cambiar su vida. Yo sí.

Los primeros días de convivencia fueron toda una experiencia para nosotros. Era la primera vez que tratábamos con una cerda y sabíamos poco más que el tópico de que «de los cerdos se come todo» (se me ocurren muy pocas frases más crueles). Pero esta vez Palma iba a ser mucho más que algo que servir en un plato.

Con los días fue viendo que nuestro trato hacia ella era muy diferente a lo que estaba acostumbrada, y cada vez

iba confiando más, hasta que un día por fin nos dejó aca-
riciarla. Nosotros y ella misma descubrimos que el que le
rascáramos la barriga era su punto débil: se derrumbaba en
el suelo con tan solo ver que se la íbamos a volver a tocar.

Le gustaba tanto que cuando dejábamos de hacerlo nos
atacaba. Por desgracia, no conocía otra forma de actuar que
no fuese la violencia. Respondía con lo mismo que había
tenido que sufrir toda su vida.

El 10 de agosto, tan solo una semana después de su rescate, de repente tuvo un cambio de actitud tan fuerte que
pensamos que le ocurría algo: empezó a arrancar los arbustos y plantas que teníamos en el jardín para amontonarlos
en la zona más alta. Resultó que se estaba haciendo un nido.
Al día siguiente se puso de parto y tuvo a seis bebés, un mo-

mento precioso que vivieron todos los que me seguían en la redes, ya que yo iba grabando los vídeos y subiéndolos.

La valla de la casa se llenaba cada día de niños que querían ver a los cerditos, y nosotros aprovechábamos el momento para hablarles de cómo nos alimentamos y qué podemos hacer para cuidarnos y cuidar a la vez a los animales. El que a la vez pudieran mirarlos a los ojos los hizo mucho más receptivos a escuchar una versión muy diferente a la que todos hemos oído desde pequeños: los animales no son comida.

Todo aquello nos emocionaba mucho. Pero, con ser muy bonita, la situación nos suponía un problema: en la casa de alquiler en la que estábamos no podíamos vivir con siete cerdos.

Teníamos que tomar una decisión: o dábamos a los bebés de Palma en adopción y los separábamos de su madre para siempre, cosa especialmente injusta después de todo lo que ella había sufrido, o comenzábamos ya con el proyecto de la creación de un Santuario.

Y eso hicimos: emprendimos una nueva aventura que cambiaría nuestras vidas y las de muchos animales, humanos y no humanos.

PALMA NOS DA UNA LECCIÓN DE HUMANIDAD; LOS ACTIVISTAS DE MALLORCA, TAMBIÉN

«La inteligencia se les niega a los animales solo por aquellos que carecen de ella.»
ARTHUR SCHOPENHAUER (1788-1860)

«Eres un cerdo.» «No hagas guarradas.»

Es curioso cómo las personas tenemos tanta capacidad de acusar a los animales de las cosas que hacemos nosotros.

Coque y yo estábamos viviendo un momento muy bonito en nuestras vidas con la llegada de Palma y el nacimiento de sus hijos. Ver cómo los cuidaba nos enseñó mucho. Lo primero que aprendimos es que los cerdos no son sucios como nos dicen desde que somos pequeños. Palma mantenía su habitación siempre limpia, nunca hacía sus necesidades donde dormía o comía y había elegido un lugar en el jardín donde hacerlas.

Otra cosa que nos sorprendió mucho fue el cuidado que tenía con sus hijos a la hora de amamantarlos. Habíamos visto imágenes de granjas donde las cerdas aplastaban a sus hijos sin querer y estos morían. Aunque, claro, estaban encerradas en jaulas donde ni siquiera podían darse la vuelta, por lo que su comportamiento no podía ser el mismo que el de nuestra querida Palma. Antes de dar de mamar buscaba dónde apoyarse, y después se dejaba caer poco a poco, con muchísimo cuidado.

Su comportamiento nos fascinaba a todos. Ya los primeros días tras dar a luz estuvo en el nido que había hecho en la parte más alta del jardín, seguramente porque desde ahí podía controlarlo todo y se sentía más segura para proteger a sus hijos. Un día, viendo que iba a llover, arrancó más plantas y arbustos, con los que construyó otro nido en una zona más resguardada del viento y el agua.

Y es que Palma era toda una madraza. No nos dejaba acercarnos a sus hijos, posiblemente por miedo a que les hiciéramos daño, como le había sucedido a ella desde el día en que nació.

Muchas personas se hicieron veganas gracias a su historia. Por ejemplo, Cristina, una mujer mayor que vivía en Madrid. Eso nos dio más impulso para iniciar la búsqueda de un terreno donde llevar a cabo nuestro proyecto.

Teníamos muy claro que el Santuario debía estar en la montaña, en una zona donde creciera la hierba fresca, para que los animales pudieran disfrutar de todo lo que no tienen en las granjas en las que son explotados.

Después de mucho buscar, encontramos una finca en Ogassa, de cinco mil metros cuadrados. No dudamos un segundo en alquilarla.

Una vez anunciamos en las redes sociales que habíamos

encontrado el terreno, creamos la página del Santuario Gaia en Facebook. El nombre venía, claro, de la diosa madre Tierra de la mitología griega.

Vanessa Moreno, que había sido coordinadora de Anima-Naturalis conmigo, nos prestó el dinero, y nunca nos ha dejado devolvérselo. Aun hoy se encarga del correo electrónico y de la cuenta de Twitter del Santuario.

Ya desde el principio, aunque solo éramos dos, nos ayudaron mucho los activistas de Mallorca, que vivían el proyecto como propio. Cuando el 1 de octubre de 2012 nos mudamos a Ogassa, vinieron desde la isla para ayudarnos a habilitar la finca y así poder salvar a más animales. En todo momento nos sentimos arropados, y eso es algo por lo que siempre les estaremos muy agradecidos.

Como anécdota, lo peor de la mudanza no fue el traslado de los animales, sino la cantidad de libros que tenía Coque. Parecía una biblioteca entera. Siempre lo mencionamos: no tenemos tiempo ni para los libros, con lo que nos gusta a los dos leer.

Creo que nada deja más claro cómo, durante todo este tiempo, hemos consagrado nuestras vidas por completo al Santuario.

RALPHY, LA CERDITA VALIENTE QUE NO OLVIDAREMOS

> *«El hombre puede medir el valor de su propia alma en la mirada agradecida que le dirija un animal al cual ha socorrido.»*
> Platón (387 a. C.-347 a. C.)

La historia de la cerdita Ralphy es una de las más conocidas en las que me he visto envuelto. Y también una de las más tristes.

El 20 de octubre de 2012 llegó al Santuario después de haber sido rescatada por una chica que estudiaba veterinaria y hacía prácticas en una granja de explotación intensiva de cerdos. Como su madre no podía moverse al estar encerrada en la paridera —la jaula mínima en la que dan a luz—, no pudo evitar aplastarle la cabeza a su cría. Eso hacía que Ralphy no tuviera ningún valor para el ganadero, por lo que iba a dejarla morir sin ninguna atención, agonizando tirada en algún lugar durante días. Ni siquiera iba a gastar tiempo y dinero en darle una muerte digna, así que accedió a cedérsela a la chica.

En cierta forma, la historia de Ralphy era la opuesta a la

de Palma con sus crías; en este caso, la madre no había podido evitar causar daños serios a su hija.

El primer día de Ralphy en el Santuario fue muy emotivo. Corría y jugaba, feliz, y enamoró a muchísimas personas de todas partes del mundo, que comprendieron enseguida la crueldad que se da en las granjas de cerdos.

Ralphy padecía secuelas por el accidente, y su comportamiento también era muy diferente al de Palma y sus hijos. A veces se quedaba quieta con la mirada perdida, sin saber qué hacer. Vivía con nosotros dentro de la casa y le encantaba dormir en el sofá, que siempre dejaba empapado, ya que se le salía la lengua y babeaba todo el tiempo. Era muy especial y requería de más atención.

Por entonces nosotros llevábamos muy poco tiempo en la finca y nos quedaba mucho por hacer para habilitar bien el terreno. Había muchos restos de basura y escombros que íbamos limpiando poco a poco.

Una noche, antes de irnos a dormir, Ralphy no entró en casa, por lo que Coque salió a buscarla. Aún recuerdo como si fuese ayer la cara de él al volver: se la había encontrado muerta, caída justo encima de un hierro que sobresalía del suelo.

Nuestra pequeña, nuestra primera rescatada, había fallecido en un accidente en el Santuario por culpa de un maldito hierro que aún no habíamos quitado. Lloramos desesperadamente toda la noche.

Al anunciar su muerte teníamos mucho miedo a la reacción de la gente. Así que resultó toda una sorpresa cuando comenzaron a llegarnos mensajes desde todas partes del mundo dándonos ánimos y contándonos sus experiencias, diciéndonos que por conocer la historia de una cerdita que vivía en un pequeño pueblo de España, se habían hecho veganas. En ese momento fue cuando nos dimos cuenta del alcance que tenía el trabajo que estábamos comenzando, y de que nuestro deber era seguir adelante.

LECCIONES DE VIDA:
NO HAY DOS SIN TRES

«Estoy a favor del derecho de los animales,
al igual que del derecho de los humanos.»
ABRAHAM LINCOLN (1809-1865)

Cuando empiezas todo son descubrimientos sobre la marcha: cerdos, gallinas, pavos... Acabábamos de empezar con el Santuario cuando tuvimos una nueva primera vez. Nuestras invitadas iban a enseñarnos mucho, y no solo sobre el cuidado de las ovejas.

A primeros de noviembre de 2012, una chica, Geraldine, nos contactó porque un ganadero conocido suyo iba a enviar al matadero a dos ovejas que no le resultaban rentables. Con mucha ilusión contestamos que queríamos acogerlas en el Santuario y salvarles la vida. Tanto ella como Miguel, su padrastro, convencieron al ganadero para que no las matara.

La primera oveja, Helena, de unos cuatro años, tenía problemas para quedarse embarazada. Y eso es muy malo para el negocio, ya que los principales beneficios se obtienen de sacrificar a los hijos y venderlos como carne de cordero, aparte de explotar a las propias madres vendiendo su leche para hacer quesos.

Brisa, la segunda oveja, tenía cinco años y un ojo con el que no podía ver, además de problemas para caminar debido a que sus pezuñas eran muy largas y crecían hacia arriba. Por supuesto, nunca se las habían arreglado. Más tarde supimos que eso se llama «zapatillas de Aladdin», un problema que Brisa tenía agravado por una infección denominada pedero, muy fácil de contagiar entre ovinos, caprinos y bovinos.

Al abrir la puerta de la furgoneta en la que venían, Helena saltó y salió corriendo, pero Brisa se quedó dentro, tumbada, sin poder moverse. Se nos partió el alma al ver su estado. Coque y yo no nos dijimos una palabra, pero nos hablamos con la mirada; ¿cómo íbamos a ayudarla si no sabíamos nada sobre las ovejas? En el vídeo que hicimos de su llegada se ve muy claro que no sabíamos ni cómo cogerla.

Cuando la dejamos en el espacio donde iba a vivir se formó una entrañable procesión: primero acudieron las gallinas a saludar, seguidas, por supuesto, por nuestra niña Ralphy, que se quedó al lado de ellas, mirando al infinito mientras babeaba.

A la noche siguiente, antes de irme a dormir, fui a verlas a su caseta para comprobar que estuvieran descansando bien. Al llegar me puse a llamar a Coque a gritos, desesperado: Brisa estaba tumbada con la paja llena de sangre: lamía al hijo que acababa de parir. Helena, por su parte, protegía a su amiga y no se apartaba de su lado.

Coque y yo no podíamos estar más felices: era el primer nacimiento en el Santuario. Decidimos llamar Diego al corderito, y nos dimos cuenta de que no habíamos salvado de la muerte a dos ovejas, sino a tres.

Pero la alegría enseguida dio paso a la inquietud: cuando despertamos al amanecer y fuimos a ver a la mamá con su bebé, observamos que el pequeño intentaba mamar, pero a Brisa no le había bajado la leche. La vida de Diego estaba (de nuevo) en peligro: no había tomado el calostro y no había comido nada en toda la noche.

Fuimos corriendo a comprar un biberón y leche para cordero; lo que encontramos fue una tetina que se ponía en una botella. Al principio nos costó mucho que el pequeño bebiera. Aunque por fin lo conseguimos y eso nos alegró mucho, teníamos miedo de que no sobreviviera. Por suerte, nuestros temores eran infundados.

Aun así, aquella historia tuvo una parte amarga para nosotros. Algunos seguidores comenzaron a criticarnos porque le dábamos el biberón con una botella de vino. Otros nos acusaron de no ser veganos porque a Diego le estábamos dando la leche de otra oveja explotada.

No supieron ver la urgencia con la que tuvimos que actuar. Y además, si hablamos de justicia, ¿qué puede haber más justo que dedicar la leche que venden de ovejas explotadas y cuyos hijos han robado para mandarlos al matadero, a salvar la vida de uno de ellos?

Esa fue otra de las grandes lecciones que aprendimos con Brisa, Helena y Diego: la vida no es ideal, y a veces hacer el bien es hacer lo mejor posible.

UN CABRITO NOS DA LECCIONES DE FELICIDAD

«La gente que realmente aprecia a los animales siempre pregunta sus nombres.»
LILIAN JACKSON BRAUN (1913-2011)

Cuando Geraldine y Miguel nos hablaron del caso de Brisa y Helena, también nos contaron que en el mismo rebaño había una cabra que iba a ser enviada al matadero porque no era productiva. Desde luego, queríamos salvarla, aunque le pedimos al ganadero que la aguantara dos semanas más para que nos diera tiempo a preparar un vallado resistente para cabras, ya que llevábamos tan solo un mes con el Santuario y aún no lo teníamos.

El Santuario se sustentaba solo con el sueldo de Coque en una clínica veterinaria de Mataró, así que no teníamos dinero para comprar vallas. Tuvimos que hacerla con restos de cosas que encontramos. Tres días antes de la fecha prevista para que llegara nuestra nueva invitada nos avisaron de que se había puesto de parto. Como al ganadero ya no le interesaba (no era productiva), no le prestó atención alguna y la cabra murió al dar a luz a su hijo, que quedó huérfano.

Era fin de semana y Coque estaba trabajando en la clínica, pero por suerte yo estaba acompañado por Diego, un amigo y activista de Mallorca que vino a pasar unos días para ayudarnos. A las cuatro de la madrugada nos fuimos a encontrarnos con Geraldine y Miguel, que habían recogido al cabrito para entregárnoslo. Resultó que me había quedado sin gasolina, y tuvimos que esperar a que abrieran la más cercana. Fueron momentos muy tristes: al igual que había pasado con el hijo de Brisa, desde su nacimiento David no había comido nada ni había tomado el calostro que tan importante es para que las crías puedan sobrevivir.

Al llegar de vuelta al Santuario, lo primero que hice fue darle el biberón. Recuerdo aquel momento por lo feliz que me sentía: apenas llevábamos un mes y dieciséis días con el Santuario y ya habíamos salvado a Ralphy, a Helena, a Brisa con su hijo Diego, a dos patos que llegaron con ellas y ahora al pequeño David. Aunque a la vez me sentía triste por la muerte de la madre y el hermano del cabrito. Justo o no, no podía evitar pensar que si hubiéramos estado preparados desde el principio y hubiésemos tenido la maldita valla, los habríamos salvado a los tres.

Pero poco duró la tristeza. David se encargó de ello. Desde el principio no paraba de jugar y saltar. Era feliz a pesar de no tener a su madre. No solo nos hizo sentir bien a nosotros, sino también a todos los demás habitantes del Santuario. ¡Qué cierto es eso de que la alegría también se contagia!

IGUALES QUE NOSOTROS

«Los animales del mundo existen por su propia
razón. No fueron hechos para los humanos.»
ALICE WALKER (1944)

Una mañana nos encontramos con que Brisa no podía levantarse; si bien desde que llegó estaba muy débil, ese día se la veía muy enferma. El veterinario que vino a verla nos dijo que no se podía hacer nada por ella y que iba a morir, pues sufría una infección uterina a consecuencia del parto. A pesar de lo que nos dijo el veterinario, una cosa que siempre me ha gustado de nosotros es que no nos damos por vencidos por muy difícil que sea la situación, así que cogimos a Brisa y la metimos dentro de la casa. Le preparamos una camita al lado de la chimenea para que estuviera calentita y siempre atendida por nosotros, incluso de noche. Cada día hacíamos que Helena, David y su hijo Diego entraran varias veces en la casa para que la vieran y todos supieran que estaba bien. Brisa se animaba mucho cuando los veía, y el pequeño David, que era un terremoto, se ponía a jugar saltando encima de ella; los vídeos que compartíamos de esos momentos eran muy graciosos.

Como no sabíamos nada sobre el comportamiento de las ovejas, comenzamos a buscar información, aunque todo lo que encontrábamos era cómo explotarlas y sacar el máximo rendimiento de ellas. Dimos a parar con un estudio del profesor John Webster de la Universidad de Bristol que explicaba que, al igual que los humanos, las ovejas expresan emociones de manera visible. Cuando manifiestan estrés, por ejemplo, muestran señales de depresión al igual que nosotros. Sienten miedo cuando se les acerca un extraño o cuando son separadas de sus familias o grupos sociales, con quienes establecen fuertes lazos emocionales. El corazón de las ovejas late más rápido cuando no pueden ver a miembros de su grupo, lo que es un claro indicativo de miedo.

Según otro estudio publicado en la revista *Nature* por Keith Kendrick, profesor de la Universidad de Greshman de Londres, las ovejas son capaces de distinguir entre las diferentes expresiones de otros animales, pudiendo detectar los cambios en los rostros, así como reconocer y distinguir entre al menos 50 individuos diferentes y recordar acontecimientos e imágenes durante un periodo de hasta dos años. Las ovejas no olvidan fácilmente, lo que hace que puedan recordar y revivir una situación traumática durante mucho tiempo.

Estudios científicos han descubierto que los ovinos experimentan emociones humanas complejas como el amor. Las ovejas se enamoran de los carneros, tienen amigos y se sienten tristes cuando los miembros de la manada mueren o son sacrificados. Esos estudios nos ayudaron mucho a entenderlas mejor y a actuar como haríamos con un humano. Enseguida notamos los resultados.

Helena nunca dejaba que nos acercáramos a ella, y mucho menos que la tocáramos, pero al ir entrando en la casa se dio cuenta de que estábamos ayudando a su amiga y un día su mirada cambió y comenzó a acercarse a nosotros. Se convirtió en toda una madraza que cuidaba de Diego y David, y no solo eso, sino que se volvió muy amorosa con nosotros. Hay vídeos donde se la ve rozándose conmigo y tirándome al suelo porque lo que quería era que la abrazara y la acariciara mientras le daba besos.

Varias semanas después de que metiéramos a Brisa en la casa, un día quiso levantarse, y ahí comenzó su recuperación. Cada día la sacábamos al jardín un ratito para que le diera el sol, hasta que comenzó a caminar por sí sola sin nuestra ayuda. Desde entonces no se ha separado nunca de su gran amiga Helena ni de su hijo Diego, con los que duerme cada noche a pesar de haber pasado ya 7 años desde que la rescatamos. Por fin ha podido vivir su maternidad junto a su hijo, y Helena igual, ya que para ella Diego también es su hijo; las dos han podido experimentar eso que en las granjas no les está permitido a las ovejas: vivir en familia con sus hijos.

UNA NOCHE
(Y UNA CAMISETA)
PARA OLVIDAR

«Cuatro patas, bien. Dos piernas, mal.»
George Orwell (1903-1950)

Se aprende más de los fracasos que de los éxitos. No hay mal que por bien no venga... Hubo una noche en que aprendimos de golpe la verdad de todas estas frases hechas.

El Santuario iba creciendo en habitantes y necesitábamos más ingresos aparte del sueldo de Coque, que se iba todo en la comida de los animales, cuidados veterinarios y material para hacer nosotros mismos las instalaciones.

Jose Auñón, una chica que desde el primer momento creyó en nosotros, hizo una camiseta con el rostro de Ralphy para poder recaudar fondos. Ahora nos reímos mucho recordando aquella camiseta tan horrorosa, hecha con muy buena voluntad pero que parecía un garabato; aun así, como los seguidores le tenían tanto cariño a Ralphy, la compraron igualmente.

La Jose, como la llamamos, organizó un evento a finales

de noviembre en Barcelona con cantantes amigos suyos y comida vegana con el fin de recaudar fondos para el Santuario. Así podríamos habilitar mejor las instalaciones y, sobre todo, seríamos capaces de decir que sí a más casos de animales que necesitaban nuestra ayuda.

El acto se montó con mucha ilusión. Estábamos muy emocionados: con la cantidad de gente que nos seguía y nos apoyaba, estábamos convencidos de que íbamos a obtener el empujón que necesitábamos para mejorar.

Cuál fue nuestra sorpresa la noche del evento: no es que acudiera poca gente, es que no vino absolutamente nadie. Solo estábamos Coque, Jose, su hermana y yo.

Aquella noche acabó siendo muy triste. Nos supo muy mal sobre todo por la Jose, que tanto se había involucrado.

Pero, como ya he dicho, si algo me gusta de nosotros es nuestra capacidad de no rendirnos. En vez de hacer que nos viniéramos abajo, lo sucedido nos volvió más fuertes. Íbamos a seguir con renovadas fuerzas, claro; pero, además, nos dimos cuenta de que no podíamos contar solo con los comentarios tan bonitos que nos dejaba la gente en las redes sociales, sino que teníamos que movernos por nosotros mismos, sin dar nada por supuesto.

Decidimos invertir el dinero que nos llegaba por las camisetas en hacer otras nuevas, además de llaveros de los habitantes que habíamos rescatado. Así fue como nació nuestra tienda *online*, que durante mucho tiempo fue nuestra fuente de ingresos más importante.

Y así, uno de nuestros mayores fracasos acabó siendo la clave que nos permitió seguir creciendo. De todo se aprende.

LA CABRA QUE ME AVISÓ (¡POR TELEPATÍA!) DE QUE IBA A DAR A LUZ

«Finalmente sé lo que distingue a un hombre de un animal: las preocupaciones financieras.»
ROMAIN ROLAND (1866-1944)

Esta no es una historia que vaya contando mucho por ahí. Si has leído el título, ya te imaginarás por qué: no quiero parecer más rarito de lo normal. Pero así fue.

Geraldine, la chica que había conseguido rescatar a Brisa, a Helena y a David, le había cogido el gusto a lo de salvar vidas. Existen pocas cosas más gratificantes que devolverle la vida a quien la está perdiendo o regalarle la libertad a un esclavo. Ella consiguió que, del mismo rebaño, pudiéramos salvar también a Laia, una cabra que iba a ser vendida aquel mismo día para consumo y que era hermana de David, un año mayor.

Nos hizo mucha ilusión que él, que seguía siendo un trasto incapaz de estar un minuto quieto, tuviese a su lado a su hermana. Aquel rescate nos alivió el sentimiento de culpa por no haber tenido preparado antes el vallado.

Unos meses después observamos que Laia había engordado. Tenía las ubres bastante grandes y sospechamos que podía estar embarazada, ya que las cuentas cuadraban: llevaba casi tres meses en el Santuario, y el embarazo de las cabras es de cinco. Pero no tuvimos tiempo ni para comprobarlo.

Por entonces, cuando alguien nos escribía para visitarnos siempre decíamos que sí. Eran otros tiempos, con menos animales y, por tanto, menos trabajo. Un día, mientras estábamos dentro de la casa tomando un café con Coque y una pareja que había venido a conocernos, de repente me levanté del sofá y grité: «¡Laia ha parido!».

Me miraron como si estuviera delirando, y más cuando salí corriendo a buscarla. En efecto, la cabrita estaba comenzando a dar a luz a la pequeña Josefina. Tenía los ojos que parecía que se le iban a salir, sentía mucho dolor y miedo. Por suerte, en cuanto me puse a su lado comenzó a sentirse más tranquila y el parto acabó felizmente.

Nunca podré explicar con palabras ese momento tan mágico. Y, como he dicho, tampoco es que lo intente mucho. Una cosa es indudable, y es que en aquella época yo tenía una conexión muy fuerte con todos los habitantes del Santuario. Pasábamos muchas horas juntos. Por ejemplo, cada noche, antes de irme a dormir, me iba a la caseta donde estaban todos y les cantaba.

Hoy ya no tengo tiempo para poder hacer esas cosas: son más de 350 animales y es imposible estar con todos a la vez. Recuerdo esa época con mucha nostalgia, aunque siempre creeré que cuantos más podamos salvar, mejor.

LA CERDITA QUE SE SENTABA PARA COMER

> *«La grandeza de una nación y su progreso*
> *moral pueden ser juzgados por la manera*
> *en que trata a sus animales.»*
> MAHATMA GANDHI (1869-1948)

Uno diría que, haciendo lo que hago, no debería sorprenderme de la crueldad humana. Pero no es así; está claro que siempre se puede ir más allá, como descubrí (una vez más) con la llegada de la cerdita Magdalena.

Eran nuestras primeras navidades en el Santuario, las primeras de tantas en las que no íbamos a pasar las fiestas con nuestras familias de sangre, sino con la que habíamos creado en apenas dos meses. Y en esas fechas tan señaladas llegó Magdalena, de un mes y medio, pequeña y rechoncha para su edad, pero muy inteligente.

Le habían mutilado la cola y le habían arrancado los dientes, todo sin anestesia, algo muy habitual en las granjas y que se realiza para evitar que los animales se muerdan entre ellos debido al hacinamiento, el estrés y el miedo a los que son sometidos.

Pero ahí no acababa la cosa: un empresario la había comprado para que sus empleados jugaran en la oficina a atraparla; el que lo consiguiera se la podía llevar para comérsela en Navidad. Por suerte, los empleados se negaron a hacer tal juego y nos llamaron para salvarle la vida.

A los pocos días llegó Albertito, un cerdito vietnamita que había sido abandonado en el cementerio de Tarragona. Los criamos juntos dentro de nuestra casa. Se pasaban el día tumbados los dos pegados junto a la chimenea, tanto que se les chamuscaba el pelo, produciendo un olor muy fuerte. A día de hoy siguen juntos. Nunca se han separado, y donde va uno va el otro. Y nosotros, por supuesto, siempre respetamos esa clase de vínculos.

Un día Magdalena nos sorprendió cuando le fuimos a dar un trozo de pan al entrar en la casa. Viéndonos, ella se sentó para recibirlo. Pensamos que había sido casualidad, pero no: empezó a hacerlo cada vez que se lo ofrecíamos.

Comprendimos que Magdalena, siempre tan observadora, había visto que eso era lo que hacían los perros que vivían con nosotros para recibir sus premios. Entendió que si se sentaba, recibiría comida, y no perdió un minuto en probarlo.

Ese comportamiento corroboraba un estudio de *National Geographic* en el que se decía que los cerdos tienen una inteligencia mayor a la de un niño humano promedio de tres años de edad.

Eso nos hacía pensar más en todo el sufrimiento que tienen que padecer en las granjas y cuando son enviados al matadero, en la agonía mientras ven cómo asesinan a sus

amigos y familiares, conscientes de que los siguientes son ellos.

Con los años Magdalena empezó a tener problemas en sus extremidades, y es que, al pertenecer a una raza seleccionada genéticamente para crecer y engordar cuanto antes y resultar mucho más rentables, sus cuerpos no están hechos para vivir tanto tiempo; con pocos meses alcanzan el peso idóneo y son sacrificados. Habilitamos para ella un espacio llano donde pudieran vivir ella y su gran amigo Albertito, con todo más a mano para no tener que caminar mucho.

A principios de año estuve enfermo. Pasé unos días sin verla. Cuando volví y entré en el recinto para saludarla y hacerle unas fotos, nada más verme salió corriendo, a su manera, hacía mí. Se puso tan eufórica que me tiró al suelo y se me subió encima, poniendo su cara junto a la mía mientras hacía ese sonido característico con que los cerdos dicen «Te quiero».

Hoy sigue viviendo con Albertito y otra cerdita que se llama Melisa y que también fue abandonada. Cada vez que entramos en su habitación lo hacemos con miedo, porque somos conscientes de su corta esperanza de vida. Pero al menos, mientras tanto es muy feliz junto a sus amigos, y eso es algo que no muchos cerdos pueden experimentar.

LA OVEJA ENAMORADA QUE NUNCA OLVIDABA UNA CARA

> «*Llegará un día en el que los humanos*
> *verán el asesinato de un animal como*
> *ahora ven el de otro ser humano.*»
> LEONARDO DA VINCI (1452-1519)

En 2013, los Reyes Magos nos trajeron el mejor regalo que se nos puede hacer: una vida que salvar. Cogí el coche y fui hasta Mataró, a la clínica donde trabajaba Coque los fines de semana como veterinario, porque habían dejado allí, que quedaba mucho más cerca que Ogassa, a una corderita que traían desde La Rioja.

Se nos caía la baba con aquella cosita tan pequeña y bonita, pero con una mirada vimos que pensábamos lo mismo: estaba muy mal y dábamos por hecho que se iba a morir, pues se encontraba muy deteriorada.

Fabiola, así la llamamos, había sido encontrada en la cuneta de una carretera porque había saltado del camión que la llevaba al matadero, como indicaba la marca roja que tenía en su espalda. Tenía quemaduras en las extremidades traseras producidas por la caída en marcha. Al curarle las heridas y retirar la costra vimos que tenía unas úlceras muy graves que le llegaban hasta el hueso.

Los primeros días durmió en la cama con nosotros. Creímos que no podríamos ofrecerle más que acompañarla hasta el fin de sus días. Pero poco a poco fue mejorando más y más, y se recuperó tanto que le llegó el momento de dormir sola, aunque aún en nuestra misma habitación (además, la señorita tenía la costumbre de hacer unos pipís nocturnos que conseguían que por la mañana nos despertáramos empapados).

No le gustó nada tener que dormir sin nosotros. ¡Dios mío, cómo lloraba! Parecía increíble que de aquella cosita tan pequeña pudieran salir unos chillidos tan fuertes. Pero sobre las cuatro de la mañana dejamos de oírla y nos asustamos. Encendimos la luz y vimos que seguía abriendo la boca para chillar, pero se había quedado afónica. Cada vez que lo recuerdo sigo emocionándome.

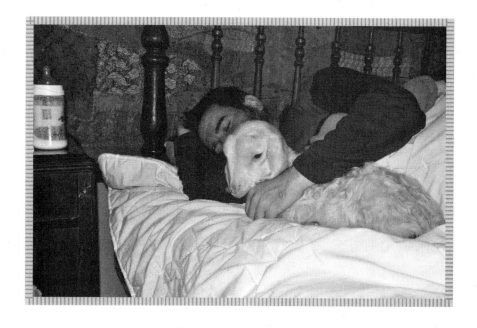

Fabiola creció, y con ella descubrimos que las ovejas se enamoran porque, después de haberse criado con Diego, surgió el amor entre los dos. Era muy bonito ver cómo, mientras los demás descansaban, ellos se iban a dar paseos juntos por el Santuario como la joven pareja que eran (y siguen siendo).

Quizá parezca que pretendo dar unos sentimientos demasiado humanos a los animales que quiero. Pero en este caso la ciencia me acompaña. El profesor Kendrick y su equipo del Instituto Babraham en Cambridge (Reino Unido) hicieron un estudio en el que se ven similitudes entre el funcionamiento del cerebro en hombres y en ovinos: las ovejas pueden enamorarse e, igualmente, sentir el dolor de la separación cuando su pareja parte hacia otra explotación o hacia el matadero.

Los científicos también han comprobado que las ovejas son capaces de recordar caras. Se ha detectado que una parte de su cerebro se activa cuando se les muestran fotos de otras ovejas a las que conocen, y que, por el contrario, no sucede nada cuando las fotos corresponden a desconocidas. Lo mismo les sucede al ver fotos de personas que conocen y de desconocidos.

¿Te comerías a alguien que sabría reconocerte si te viera?

UN BESO Y UNA LUCHA

«Los ojos de un animal tienen el poder
de hablar un gran lenguaje.»
MARTIN BUBER (1878-1965)

Siempre digo que, como animalista y como homosexual, mis dos batallas son, en realidad, la misma. Y siempre resulta chocante. Lo explicaré con una anécdota que, según creo, lo deja muy claro.

Tan solo llevábamos siete meses desde la creación del Santuario, y ya se había convertido en el que más seguidores tenía del mundo. A la gente le encantaba despertarse cada mañana y leer alguna noticia sobre sus habitantes y sus historias del día a día. A nosotros, claro, eso nos motivaba mucho: veíamos que nuestro trabajo estaba cambiando la vida de muchas personas y su manera de ver a los animales; o, dicho de otra forma, la de vernos a nosotros mismos, que a fin de cuentas no somos más que otra especie animal.

En mayo publicamos una fotografía en la que salíamos Coque y yo con Diego en brazos. En el texto explicábamos la similitud entre la lucha contra la homofobia, el racismo, el sexismo y el especismo (dar un tratamiento diferente por pertenecer a una especie o a otra). Todas esas luchas son por discriminación, porque alguien se siente superior a otro por su raza, sexo, orientación sexual o cualquier otra razón. El caso es que en la foto nos estábamos besando. En ese momento fue cuando nuestros seguidores tomaron conciencia de que éramos homosexuales, y de que encima teníamos la poca vergüenza de no ocultarlo y presumir de ser pareja.

Aquello les sentó muy mal a unos cuantos. Nos llamaron de todo, por ejemplo pervertidos y enfermos, y nos acusaron de barbaridades como mantener sexo con los animales que rescatábamos; también nos dijeron que debíamos morir por ser hijos de Satanás. Y mil estupideces más que han quedado para el recuerdo en las redes.

Nos llevamos una gran sorpresa ante aquellas reacciones. Pero también nos hicieron mucho más fuertes en nuestras ideas. Vimos bien claro que nunca podríamos separar nuestras dos luchas. ¿Cómo se puede combatir el racismo y a la vez discriminar a un ser vivo por pertenecer a otra especie? ¿Cómo rechazar el sexismo y la homofobia, y a la vez ser cómplices en la explotación y el asesinato de otros?

Es por eso que, sobre todo desde entonces, en el Santuario hemos dejado muy claro que estas son nuestras luchas, porque todas ellas van de la mano. Como Coque y yo.

CUMPLIENDO PROMESAS A LAS VACAS

*«Si tener alma significa ser capaz de
sentir amor, lealtad y gratitud, los animales
son mejores que muchos humanos.»*
JAMES HERRIOT (1916-1995)

Como ya he contado, en Mallorca le aseguré a la vaca que me besó que iba a dedicar mi vida a salvarlas. Tuvo que esperar un poco, pero paciencia no les falta.

Por fin, el 4 de junio de 2013 rescatamos a Aida, la primera ternera que conseguíamos traer al Santuario, procedente de una granja lechera. Fue un día muy emotivo, tanto por el hecho en sí como por la sensación de promesa cumplida.

Aida era gemela, y tanto ella como su hermano iban a ser enviados al matadero; él por ser macho, como se hace con todos los terneros, y ella porque cuando nacen gemelos hay muchas posibilidades de que sean estériles, así que en la granja no se arriesgan a tener pérdidas económicas. Él murió en la granja a los dos días de nacer.

La pequeña tenía tan solo cuatro días de vida y estaba tan débil que casi no podía mantenerse en pie. Luchamos mucho para sacarla adelante, incluso dormíamos con ella para no dejarla sola y poder atenderla mejor durante las veinticuatro horas del día.

Una noche se puso peor. Por entonces yo estaba hospitalizado por una crisis asmática; aunque parezca increíble, soy muy alérgico al pelo de todos los animales, y desde la llegada de Aida me había pasado todas las noches durmiendo sobre paja a su lado.

Coque no se apartó de ella e hizo todo lo posible por salvarle la vida, pero a las 4 de la mañana se fue en sus brazos.

Cuando me dio la noticia no me lo pude creer: mi pequeña se había muerto y yo ni siquiera había estado a su lado. Me dio un ataque de ansiedad y mi estado de salud se agravó, teniendo que alargar mi hospitalización.

Y es que una cosa es saber que necesariamente algunas historias no van a acabar bien, y otra muy diferente es vivirlo. Por desgracia, pronto iba a recibir aún más lecciones sobre el tema. Pero hasta de eso se aprende.

LA OVEJA FUGITIVA

«El hombre es el animal más cruel.»
FRIEDRICH NIETZSCHE (1844-1900)

Los activistas de Mallorca nos avisaron de que habían encontrado a una oveja atada a un árbol, casi muerta de calor, sin agua ni comida. Estaba ciega: le faltaba un ojo y el otro lo tenía todo blanco debido a una úlcera. La habían dejado allí por las razones habituales: no tener que dedicar tiempo y dinero a atenderla.

Hablamos con el Departamento de Ganadería para poder trasladarla. Como había sucedido otras veces, se opusieron. Teníamos una relación muy mala; ni siquiera entendían lo que era nuestro Santuario. Ya al crearlo, cuando fuimos a hacer los papeles con el fin de que todo fuera muy legal, salí llorando: nos dijeron que lo que queríamos hacer no estaba permitido, que no se podía tener a los animales de granja viviendo toda su vida, que era obligatorio matarlos.

Al irme de la isla había dejado atrás una familia superbonita, un enorme grupo de personas de todas las edades comprometido con la lucha vegana, y nos daba igual lo que nos pudiera pasar si con nuestros actos conseguíamos salvar la vida de algún animal. Éramos activistas de verdad, de corazón.

Y cuando esta gran familia supo que el Departamento de Ganadería se negaba al traslado de Marina (así llamamos a la oveja), se organizaron y uno de los activistas la trajo en barco, escondida en un camión. Todo ello sin decirnos nada a nosotros para no meternos en un lío si pasaba algo. Lo último que deseaban era ponernos en peligro. Gracias a todas esas personas que se organizaron y se arriesgaron, Marina llegó por fin al Santuario.

Como estaba casi ciega, la alojamos en el jardín de la casa. Así la teníamos más controlada, y hasta conseguimos curarla. Marina ya no estaba ciega. Y a las dos semanas nos ofreció una bonita sorpresa: dio a luz a una corderita preciosa, a la que llamamos Lucy.

Un mes después me fui hasta Mataró a recoger a Rosita, otra oveja abandonada en el monte; en este caso, porque era mayor y seguramente ya no resultaba rentable por no poder quedarse embarazada y tener hijos a los que enviar al matadero y hacer negocio con su carne. Al llegar, ella estaba en la carretera. Me costó mucho trabajo poder cogerla; además, al agarrarla me hacía daño con los pinchos que tenía por todo el cuerpo.

Una vez lo conseguí, durante el camino de vuelta le fui contando adónde la llevaba, que la íbamos a cuidar, cómo era el Santuario. A pocos metros de llegar, Rosita se echó a balar sin parar, como si reconociera que aquel era el lugar del que le había hablado.

Por sus mamas vi que había dado a luz muchas veces; es decir, que había pasado en numerosas ocasiones por la horrible experiencia de ser separada de sus crías para que las enviaran al matadero.

La abuela Rosita se hizo muy amiga de Marina y de su hija Lucy; siempre estaban juntas. Y cuando Lucy creció se hizo muy amiga de Belén, otra corderita, con la que se iba a dar largos paseos. Su madre se desgañitaba llamándola, pero ella la ignoraba, igual que sucede con los adolescentes humanos.

Pero también pasaba al contrario: cuando Marina daba paseos con Rosita, su hija se ponía a gritar desesperadamente llamándola y ella no le hacía caso, como si necesitara tiempo para desconectar y hablar con su gran amiga. No era

de extrañar: las dos tenían un pasado común, explotadas por las industrias de la leche y la carne.

Eso sí, a la hora de dormir, madre e hija estaban siempre juntas, con Rosita a su lado. Era una nueva demostración de que la amistad no es exclusiva de los humanos.

Al tiempo Rosita empezó a empeorar debido a su edad; era una de las pocas ovejas en todo el mundo que podía vivir su vejez. Comía muy poco y casi no podía mantenerse en pie. Nosotros la ayudábamos, la poníamos a ratos en una silla de ruedas y la llevábamos a los prados para que pudiera estar con todas sus compañeras. Queríamos que sus últimos días fueran los mejores, que estuviera rodeada de mucho amor.

Durante los últimos años, como se había quedado sin dientes, la poníamos a comer aparte; le dábamos un pienso que molíamos con una máquina especial que habíamos comprado para ella.

Su última noche la pasé durmiendo con ella en la enfermería, y al día siguiente tuvimos que ayudarla a marcharse. Al aire libre, viendo el cielo, notando la libertad que había tenido durante sus últimos años de vida.

Meses más tarde, Marina comenzó a respirar mal. Después de muchas pruebas, se le detectó un tumor en los pulmones. No se podía hacer nada por su vida. De nuevo, la única opción era atenderla lo mejor posible en sus últimos días. Decidimos trasladarla a ella y a su hija Lucy a la zona donde viven los animales con necesidades especiales, donde vivía yo.

Durante los meses en que estuvo enferma nos regaló

momentos únicos. No he mencionado hasta ahora que, al contrario que muchos otros habitantes del Santuario, Marina nunca llegó a dejar que la tocáramos; no nos permitía ni acercarnos a menos de dos metros. Lo que le habían hecho debía de ser verdaderamente horrible, tanto como para que nunca recuperase la confianza. A pesar de eso, sí sabía lo que estábamos haciendo por ella, y durante la última etapa de su vida se dejaba hacer, fue muy buena enferma.

Cuando nos vimos obligados a ayudarla a marcharse, quizá quiso ahorrarnos el mal momento, porque se fue sola a los pocos minutos. Su hija Lucy pasó muchos meses deprimida por la pérdida de su madre y Rosita, su gran amiga, y no quería estar con humanos ni con otros animales; se quedaba sola, mirando al infinito.

SAMUEL, MI MEJOR AMIGO

*«Podemos juzgar el corazón de
una persona por la forma en
que trata a los animales.»*
IMMANUEL KANT (1724-1804)

El rescate de Samuel fue uno de los momentos más duros de mi vida. Aún hoy, cuando me paro a recordarlo, no puedo evitar ponerme a llorar.

Nos avisaron de la posibilidad de rescatar a un ternero que había nacido gemelo en una granja industrial, junto con otro macho. Como ya he comentado, tanto por una razón como por la otra su destino iba a ser el matadero.

Coque y yo acudimos enseguida. Como siempre en estos casos, estábamos tan ilusionados como aterrorizados. Visitar una de estas granjas significa que vas a rescatar una vida, pero también que vas a ver muchas otras que sufren y a las que no puedes ayudar.

Lo que yo no esperaba es que lo que sucedió iba a cambiar del todo el rumbo de mi vida, a transformarla por completo. Y es que Samuel, el ternerito, me demostraría hasta

qué punto la comunicación no es algo que se dé solo entre los humanos.

Los dos hermanos estaban juntos en la misma jaula, y el ganadero solo nos permitió llevarnos a uno, el que eligiéramos. Pero ¿cómo escoger, sabiendo que al otro iban a matarlo? Por si eso fuera poco, también está el riesgo de que el ganadero note nuestro disgusto ante tanto maltrato, nos considere como el enemigo, se arrepienta y no nos ceda la criatura.

Como hacía poco que había muerto Aida por el mal estado en el que se encontraba, decidí no llevarme a Samuel: se lo veía muy débil. Fui a coger a su hermano, que estaba en la parte de atrás de la jaula y parecía mucho más sano, aunque no nos miraba.

Pero justo en el momento en que fui a levantar a ese ternerito para salvarle la vida, Samuel se puso en pie e intentó escaparse de la jaula. En ese instante mi corazón dio un suspiro: ya no tenía que ser yo quien eligiera, lo había hecho él por mí. Lo cogí en brazos mientras salía, cerré los ojos y dije en voz alta: «Se ha venido él». Todo eso se ve en el vídeo que grabamos de su rescate, y no hace falta decir que fue un momento muy emocionante.

Durante el camino de vuelta Coque y yo no dejamos de mirarnos en silencio. No hacía falta hablar, nuestros ojos lo decían todo. Estábamos muy contentos por Samuel, claro, pero no podíamos exteriorizarlo porque habíamos dejado en la granja a su hermano y a decenas de terneros que iban a ir al matadero, así como a cientos de vacas explotadas y hacinadas.

Ese momento me marcó para siempre. Incluso cuando Samuel fue adulto, al mirarlo a los ojos me acordaba de todos aquellos a los que no había podido salvar. Pero lo más extraordinario es que aún hoy sigo convencido de que Samuel sabía lo que yo estaba pensando y sintiendo, porque se quedaba fijamente mirándome a los ojos y apoyaba su cabeza en mi pecho, calmando el dolor que sentía mi corazón.

Con la llegada de Samuel al Santuario hubo un antes y un después en el movimiento animalista, ya que cientos de personas se hicieron veganas gracias a su historia. No podían entender cómo se podía enviar al matadero a un ser como él, tan pequeñito, tan tierno y tan débil.

En las granjas lecheras, tanto en las industriales como en las llamadas «ecológicas», las vacas son inseminadas artificialmente cada año para que den a luz un hijo y así produzcan leche que el ganadero pueda comercializar. Nuestros seguidores entendieron lo que ya he dicho al principio del libro: que, al igual que las humanas, una vaca no produce leche siempre, sino solo cuando da a luz. Las seguidoras mujeres, sobre todo, empatizaron con Samuel y su historia, y se pusieron en el lugar de su madre, imaginando que a alguien le quitan a sus hijos año tras año para encerrarlos y esperar a que alcancen el peso idóneo para que sea más rentable mandarlos al matadero.

Mientras, Samuel parecía cada vez más enfermo, y tenía diarreas con sangre. Cada mañana, después de que yo durmiera con él —igual que había hecho antes con Aida—, se producían unas escenas surrealistas y casi divertidas vistas hoy: subía a las redes fotos de sus caquitas, que miles de seguidores esperaban cada jornada. Temían por la vida de mi amigo y, como nosotros, deseaban ver el día en que las hiciera normales y sin sangre. Aquella situación duró más de un mes, y en ese tiempo se hicieron famosas las cacas de un ternero.

El día que Samuel hizo la caca bien se lio una tan grande por las redes sociales que fue inevitable no emocionarse. Parecía que nunca tanta gente se había alegrado tanto de ver una mierda.

Samuel había dejado una huella imborrable en los corazones de mucha gente, al igual que en el mío propio.

LA GALLINA QUE NOS DIO LECCIONES DE HUMANIDAD

*«No necesitamos comer animales, vestirnos,
usarlos para propósitos de entretenimiento.»*
GARY L. FRANCIONE (1954)

Dos semanas antes de que llegara Samuel, rescatamos de un laboratorio a Irene y a Yolanda, dos gallinas de la raza broiler, modificada genéticamente durante generaciones para que crezcan y engorden muy rápido; con 41 días ya son tan grandes que son enviadas al matadero siendo unos bebés (como he mencionado, una gallina natural tiene una esperanza de vida de unos 15 años).

Las dos llegaron muy jóvenes al Santuario y se criaron siempre juntas. Con ellas aprendimos mucho sobre los broilers, unos seres especiales, muy conscientes de todo lo que los rodea. Al día siguiente de llegar Samuel, lo adoptaron como si fuera un hermano más y no se apartaban nunca de su lado. Hasta dormían sobre él. Incluso cuando lo cambiamos de habitación, no pararon de buscarlo por todo el Santuario para tumbarse a su lado.

De nuevo, quedaba claro que la amistad no entiende de especies. Los humanos somos los únicos que nos creemos mejores que todo lo que nos rodea y establecemos diferencias para justificar nuestro complejo de superioridad.

Un día, mientras Coque y yo estábamos dentro de la casa, oímos unos golpecitos en la puerta. Al abrir nos encontramos a Yolanda, que intentaba llamar nuestra atención, desesperada. Parecía querer comunicarnos que la siguiéramos, y así lo hicimos. Nos condujo hasta el gallinero, donde estaba su gran amiga Irene, sin vida. Había muerto de la misma forma que todos los broilers en el Santuario, por una parada cardíaca. Crecen tanto en tan poco tiempo que sus órganos dejan de funcionar, y suelen tener problemas respiratorios y en las extremidades.

Cogimos el cuerpo sin vida de Irene y lo llevamos a la casa. Cuál fue nuestra sorpresa al ver que Yolanda seguía esperando a la puerta; deseaba entrar. Nunca se había separado de su gran amiga, y ahora tampoco deseaba hacerlo de su cuerpo sin vida. Nos derrumbamos ante tal muestra de amor. Apenas podíamos soportar tanto dolor, tanto sufrimiento. Durante el resto del día se mostró triste, apática, sin ganas de nada.

Al día siguiente, cuando íbamos a contar la muerte de Irene, tuvimos que dar también la noticia de la muerte de Yolanda. La habíamos encontrado sin vida al abrir el gallinero. Su corazón se había apagado, incapaz de soportar la pérdida de su amiga.

Las aves acostumbran a ser los animales de granja con los que menos empatizamos los humanos, ya que sus rostros, al contrario que los de los mamíferos, no muestran sus emociones. Pero eso no quiere decir que no sientan tanto o más, como nos demostró Yolanda a un precio demasiado alto.

QUIÉNES PAGAN
POR NUESTRA DIVERSIÓN

«Cuando el hombre se apiade
de todas las criaturas vivientes,
solo entonces será noble.»
BUDDHA (V-IV A. C)

Victoria, Lidia y Paula eran tres equinas que nos llegaron por diferentes vías, pero las tres procedentes del mundo del entretenimiento, y que nos muestran lo poco que acostumbramos a pensar en lo que llegan a sufrir algunos de los animales destinados a nuestra diversión. Quizá conocer un poco lo que hay detrás nos ayude a ver que algunas cosas tienen muy poca gracia.

Juliana, una chica de Alicante de la protectora Asoka Orihuela, nos preguntó si podíamos acoger en el Santuario a una poni a la que habían rescatado de un feriante que la tenía desde hacía mucho tiempo abandonada y atada a un poste, sin poderse mover.

Victoria, que así la llamamos en homenaje a mi madre, llegó al Santuario de madrugada, mientras Coque estaba trabajando en la clínica veterinaria de Mataró. Yo llevaba

97

días sin poder dormir pensando en ella; para mí era muy importante poder darle una vida digna a aquella pobre bestia maltratada durante toda su vida para que los niños montasen sobre ella, y que al hacerse mayor y dejar de ser útil fue desechada como si de un objeto sin valor se tratara. El tema me tocaba muy de cerca: había pasado años en Mallorca luchando para que prohibieran el uso de animales en circos y ferias.

Aquella noche hacía muchísimo frío, y estaba temblando fuera esperando a que llegaran con Victoria. En cuanto bajó del remolque, le expliqué acercándome a ella que aquel sería su nuevo hogar, que habíamos estado muy preocupados por ella y que teníamos muchas ganas de que viniera para poder cuidarla bien. Respondió relinchando contentísima, como si me hubiera entendido. Desde ese primer momento se comportó como si llevara toda la vida con nosotros y conociese perfectamente el Santuario. Y yo, que soy un llorón, lloré de alegría al verla tan feliz.

A la mañana siguiente le di un paseo por todo el Santuario. Le fui presentando a los demás habitantes y contándole sus historias. Ella se quedaba embobada escuchando y observándome, inmóvil. Al cabo de un rato fue como si hubiera recuperado el alma. Siempre sucede así: al llegar los animales tienen una mirada triste y solitaria, pero en cuanto toman conciencia del nombre que les hemos puesto, es como si su alma prendiera de nuevo.

Durante las presentaciones, el pequeño Samuel nos acompañó todo el tiempo a nuestro lado. Las cabras y las ovejas iban detrás, pero guardando las distancias. Era muy

gracioso: cada vez que Victoria miraba atrás para verlas, salían corriendo. Una vez le enseñé todo el espacio del Santuario y le quité la correa, empezó a moverse llena de felicidad, alzando alegre la cabeza y relinchando. Nada más llegar fue feliz; para mí, ver algo así no tiene precio.

Las primeras semanas, Samuel mantenía mucho la distancia con Victoria, porque la enana —así la llamaba yo muchas veces— tenía una mala leche que... A la hora de comer no dejaba que nadie se le acercara ni a dos metros; se ponía a dar vueltas sobre sí misma y a cocear, parecía un ventilador. Pero en cuanto yo me aproximaba se quedaba tranquila, moviendo los labios muerta de gusto.

Nunca habíamos tratado con un équido, y nos sorprendió mucho la inteligencia que tenía y lo rápido que iba aprendiendo. Se quedaba inmóvil observando lo que hacíamos, y enseguida la muy granuja lo aprendió todo sobre su nuevo entorno.

No llevaba ni un mes con nosotros cuando una mañana entró en el cuarto donde guardábamos la comida de los habitantes del Santuario, mientras nosotros preparábamos los desayunos de todos. Cada tipo de comida estaba en un cubo distinto, cerrado con unas abrazaderas de metal. Coque y yo nos quedamos observándola, a ver qué quería. Para sorpresa nuestra, se fue directamente a los cubos, y sin el menor esfuerzo y en tan solo un segundo, abrió el que tenía el pienso que más le gustaba.

Más tarde llegó Lidia, una yegua de 27 años a la que habían cogido de una manada de caballos salvajes en Galicia. La domaron y la explotaron hasta que se hizo mayor y dejó de ser útil; entonces la abandonaron sin ningún miramiento. El ayuntamiento la puso a subasta y, como nadie la quiso, iban a enviarla al matadero.

Nada más entrar en el Santuario, su comportamiento fue igual al de Victoria; como si hubiera vivido allí toda su vida. Y en cuanto Victoria la vio corrió hacia ella como pudo (tenía las extremidades atrofiadas por todo el tiempo que había estado atada sin poder moverse) y se quedaron las dos quietas, mirándose fijamente. De golpe, la pequeña empezó a dar coces y Lidia respondió de la misma manera.

Durante unos cinco minutos estuvieron dándose tales patadas que todos tuvimos que apartarnos. Estábamos asustados, temíamos que se hicieran daño. Pero no, más bien fue como de chiste: en cuanto pararon empezaron a comportarse como las mayores amigas del mundo; y no solo eso, sino que la pequeña le hizo una visita guiada por todo el Santuario, enseñándole cada rincón. No podíamos creérnoslo.

Pronto se hicieron famosos los cortes de flequillo que le hacía a Victoria. Le encantaba que la peinara y le cortara el pelo, movía los labios de gusto y nos hartábamos de reír. Una vez, cuando aún no llevaba ni un año, mientras la cepillaba, se acercó también Samuel, exigiendo que le hiciera lo mismo. Y, en cuanto empecé a hacerlo, se acercaron las cabritas Vero, Adam, Rubén y la corderita Fabiola para pedir también su sesión de peluquería.

Lidia nos observaba desde la distancia; tenía mucho miedo y no permitía que nos aproximáramos. Pero cuando me senté a descansar de tanto cepillar y Samuel se tumbó a mi lado como de costumbre, oí que Lidia se acercaba por detrás. Hice como si no me diera cuenta y empecé a hablarle a Samuel con mucho cariño. Lidia, curiosa, llegó tan cerca de mí que puso su cabeza pegada a la mía. En ese momento le enseñé el cepillo. No se asustó y me permitió que le cepillara todo el cuerpo.

Unos meses después apareció Paula, una yegua de 15 años que había sido explotada en carreras de caballos. Le costaba mucho respirar y tenía una infección en la piel bastante seria debido a una bajada de las defensas.

Cuando la juntamos con Victoria y Lidia, la primera marcó territorio dando coces, dejando claro que era ella quien mandaba en el Santuario. Quince minutos más tarde, las tres comían juntas, tan contentas, tras aceptar a la jefa.

Aquel invierno, Victoria estuvo meses tumbada en una caseta sin poderse mover; le dolían mucho las articulaciones. Pasamos horas y horas a su lado, dando por hecho que se iba a morir. Pero cuando más adelante nos mudamos a Camprodon, mejoró tanto que empezó a correr por los prados como si nada.

Paula guiaba siempre a Lidia porque esta ve muy poco; se encargó de protegerlas a ella y a Victoria, que por su parte decidía adónde iban a comer o qué hacer. Ver a Paula guiar a Lidia resultaba muy emocionante. Cuando la primera murió, Victoria le cogió el relevo y se encargó de guiar a su compañera.

Un tiempo después llegó el momento, siempre triste, de ayudar a irse a mejores prados a la abuelita Victoria. Tuvo en todo momento a su gran amiga Lidia a su lado para que pudieran despedirse. Pero además, al pasar los burros, los toros y las vacas por delante de la habitación donde estaba el cuerpo sin vida de Victoria, todos se pararon a darle el adiós.

El momento más triste fue cuando Samuel vio que aquella poni con la que se había criado ya no estaba viva. Aquel día no quiso ir a los prados y prefirió quedarse a la puerta de la habitación de su amiga. Nosotros respetamos su decisión. Y es que una de las cosas más interesantes y emotivas que hemos aprendido en todos estos años con animales de diferentes especies, es que ellos también necesitan hacer un tiempo de duelo. Igual que hacemos los humanos. Tampoco en eso somos nada diferentes.

COQUE AL RESCATE

«Un hombre puede vivir y ser saludable
sin matar animales para comer.»
León Tolstói (1828-1910)

El 16 de abril de 2014, en León, volcó un camión de pollos broilers que iban al matadero. Leon Vegano Animal Sanctuary se presentó en el lugar del suceso y pudo rescatar a 46 de ellos, aunque tres murieron a las pocas horas.

Las imágenes eran horrorosas: miles de pollos intentaban escapar del enrejado del camión, volcado en la cuneta. Los compañeros del Santuario de León trataron de hacer entrar en razón (inútilmente) a los operarios de la empresa de transporte para que los dejaran salvarlos. Pero estos estaban más interesados en golpear repetidamente a los animales con palos.

Debíamos ayudar a las víctimas que habían sido salvadas, así que nos quedamos con treinta supervivientes (en el Santuario de León se quedaron con otros tres, y en el de Madrid —ahora Santuario Vegan— con diez).

Llegaron en muy malas condiciones. Había que tratarlos cada día uno a uno, con medicación que había que ponerles con una jeringa, abriéndoles el pico, por la mañana y por la noche.

Yo había sufrido un accidente en el Santuario y tenía un pie lastimado. El terreno de Ogassa eran bancales, todo muy empinado, y cuando llegó el fin de semana y me quedé yo solo porque Coque trabajaba haciendo las urgencias en la clínica veterinaria desde el viernes hasta el lunes por la mañana, me puse peor. Eran ya muchos animales a los que dar desayuno, cena y medicación, aparte de hacer la limpieza. Al llegar a los treinta pollos, me eché a llorar como un niño pequeño, por la impotencia que sentía y por el dolor que tenía en el pie.

Me senté en el suelo y cogí en brazos a Esperanza, una pollita broiler, para hacerle mimos. Fina, otra broiler, al ver las caricias a su compañera, corrió hacia mí y se me subió encima para que le hiciera lo mismo. Y es que en realidad todos somos mucho más iguales de lo que creemos; a todos nos gusta recibir amor.

Cuando Coque volvió del trabajo y vio lo mal que estaba yo, con el pie hecho polvo y los ánimos aún peor, sentí la necesidad de contarle lo sucedido y acabé pidiéndole que dejara su trabajo; no podía seguir solo al cuidado de tantos animales. Fueron momentos muy difíciles para nosotros, porque era dejar de contar con un ingreso fijo, pero accedió.

Pasamos meses muy difíciles en los que no teníamos para comer nosotros; muchos días pasábamos hambre. Pero ganamos el poder dedicar más tiempo al trabajo administrativo, y conseguimos que la tienda *online* fuera nuestra primera fuente de ingresos.

No quería terminar esta historia sin recordar a Andrés, uno de los broilers. Cuando comenzó a crecer tuvimos que llevarlo a la clínica Els Altres, de Barcelona, y estuvo ingresado un tiempo porque tenía los órganos tan grandes que le presionaban el nervio ciático y una de sus extremidades ya no le respondía.

Al volver al Santuario, no quería salir del gallinero donde dormía por la noche. Irene, otra broiler, al ver que se quedaba solo, no se apartaba de él en ningún momento, ni para salir a comer. Teníamos que ponerles dentro la comida y el agua a los dos. Y si entraba otro pollo, ella lo echaba para proteger a Andrés.

Como he dicho antes, las aves no suelen despertar demasiada empatía en los humanos porque no muestran en el rostro sus emociones. Pero, por supuesto, las sienten: amor, dolor, soledad, deseo de proteger a los suyos. Solo hay que aprender a conocerlas.

LA VIDA QUITA, LA VIDA DA

*«El peor pecado hacia nuestras criaturas
semejantes no es odiarlas, sino ser indiferentes a
ellas. Esa es la esencia de la inhumanidad.»*
GEORGE BERNARD SHAW (1856-1950)

A veces parece que lo malo venga todo junto. Y a veces no hay solución buena y lo mejor que podemos hacer es escoger la menos mala.

La tarde en que nos llamaron para ir a buscar a la ternera Geraldine y nos contaron cómo estaba me eché a llorar. Pero no fue de emoción, sino de tristeza e impotencia. Había muy pocas esperanzas de salvarla, pero, al menos, podría morir en el Santuario, rodeada de amor y acompañada, y no a solas en una jaula y muerta de miedo.

Había nacido en una granja lechera, y al poco la apartaron de su madre, tan rápido que no pudo tomar el calostro, cosa que afectó a su salud. Hicieron lo mismo que con todos los terneros y terneras que nacen en esta industria: apartarlos rápidamente para que no se beban la leche que va a ser vendida a los humanos.

La infección de Geraldine había comenzado en el cordón umbilical, generalizándose por todo el cuerpo, especialmente en las articulaciones. Todo ello, resultado de no haber sido tratada debidamente y a tiempo. De hecho, nos la cedieron porque ya la daban por perdida.

Al contrario que en las explotaciones, en las que un animal es simplemente un número o apenas un producto, para nosotros Geraldine (como todos los demás) era un individuo único e irrepetible. Ella tenía todo el derecho, y nosotros, el deber moral de poner todos los medios a nuestro alcance para intentar salvarla.

Nada más llegar al Santuario con ella, Coque, como veterinario, determinó un tratamiento con fluidos y antibiótico intravenosos, ya que era la única manera de combatir la infección. Tuvimos que quitarle los crotales (etiquetas amarillas que llevan un número de identificación, a las que obliga el Departamento de Ganadería) de las orejas porque los orificios que le habían hecho para ponérselos estaban muy infectados y necesitábamos ponerle el catéter en una vena de la oreja.

Desde que Geraldine llegó al Santuario, Samuel se preocupó todos los días por ella; se pasaba día y noche tumbado ante la puerta de la habitación de su nueva compañera. Dejábamos que se acercara a ella varias veces al día para mimarla y transmitirle tranquilidad y confianza. Era evidente que tenían mucho en común; los dos habían llegado con muy pocas esperanzas de sobrevivir.

Sin embargo, conforme fueron pasando los días, creció en mí la esperanza de que se pudiera salvar, y con ello la alegría y la ilusión. La llevamos al hospital veterinario de la Universidad Autónoma de Barcelona, donde la ingresaron para hacerle unas pruebas e intentar operar la articulación en la que tenía la infección.

Al recordar esos días no me explico cómo Coque y yo pudimos sacar tantas fuerzas. Y es que por entonces también estaba hospitalizada su exsuegra, Tina, debido a un tumor. (Antes de conocerme, él había estado casado diez años con David, que también acabó falleciendo de cáncer.) Los tres manteníamos una relación magnífica, y cada día íbamos al hospital para estar con ella. Éramos una familia, o así era como yo lo sentía. Pero nos faltaban horas al día para cuidar de Tina, ir a ver a Geraldine y atender el Santuario.

A los dos días de estar ingresada Geraldine, mis miedos empezaron a desaparecer. Parecía que todo estaba yendo bien. Pero entonces, mientras íbamos de camino para estar con ella, nos llamaron para avisarnos de su muerte.

Me hundí. Ya no era que nunca se cumpliría mi sueño de verla correr feliz junto a Samuel y los demás habitantes del Santuario; se trataba de que ni siquiera había podido morir tranquilamente allí, conmigo durmiendo con ella y acompañándola en sus últimas horas.

A la vez, en las redes muchos nos atacaron por no haberle practicado la eutanasia el primer día y habernos gastado tanto dinero en ella. Siempre hay diferentes formas de ver una situación, pero nosotros no buscábamos soluciones únicamente racionales. Coque y yo habíamos visto que Geraldine tenía ganas de vivir y luchaba hasta el último momento. Era de la familia, la niña del Santuario. ¿Quién no habría hecho lo mismo por un ser querido?

Días más tarde nos dejó la suegra de Coque, mientras yo estaba a su lado en la habitación del hospital. Justo antes de morir me dijo: «La vida me quitó a un hijo, pero me trajo a otro. Te quiero. Gracias por cuidarme». No puedo expresar cuánto me ayudaron esas palabras para seguir adelante en unos momentos en que se habían acumulado tantas desgracias.

Una vez más, solo me quedaba el consuelo de no haberme rendido, de haber luchado con todas mis fuerzas por mis seres queridos, de haberme entregado a ellos y a mis ideas con toda honestidad. Aunque todo el resto hubiera ido tan mal.

UNA COMARCA
GANADERA Y VEGANA

> «*Cuando un hombre quiere asesinar
> a un tigre lo llama deporte. Cuando
> es el tigre, lo llaman ferocidad.*»
> GEORGE BERNARD SHAW (1856-1950)

El estar conviviendo con Samuel y las experiencias que vivimos con Aida y Geraldine nos hicieron volvernos mucho más activos en la lucha contra la industria láctea. Y no solo nosotros: todos los seguidores que cada día esperaban noticias sobre nuestros rescatados tomaron conciencia del sufrimiento que se vive en las granjas. A fin de cuentas, está claro que el placer que dan un yogur o un queso no compensa tanta maldad a la hora de producirlos.

La sociedad no sabe la verdad que se esconde detrás de los anuncios de televisión, y era nuestro deber mostrar la triste realidad. El 28 de junio de 2014 publicamos un escrito que tuvo mucha repercusión, en el que Coque hablaba como veterinario y cofundador del Santuario:

Cuando hice la carrera de veterinaria estudié los métodos de producción animal, donde se explicaba que para que una vaca produjera leche había que embarazarla cada año, para que así pariera y siempre tuviera leche en sus ubres.

Estuve haciendo prácticas en mataderos y en granjas, pero nunca me paré a pensar en el sufrimiento que padecían todos aquellos animales. En la carrera no te enseñan a amar y respetar a los demás animales, sino a sacar el máximo provecho de ellos, porque son considerados un recurso para los humanos, y cuando dejan de sernos útiles nos deshacemos de ellos en los mataderos.

No puedo juzgar a nadie por comer animales, ya que yo también lo he hecho durante muchos años, incluso siendo veterinario. Vi muchísimas cosas que tenían que haberme abierto los ojos antes, y sin embargo no me di cuenta de todo el sufrimiento que estaba causando al participar consumiendo productos de origen animal.

Hace ya siete años que soy vegano, y es ahora, viviendo en el Santuario Gaia junto a animales de diferentes especies, cuando estoy siendo feliz y coherente con lo que siempre quise ser, un médico para ellos. Es un regalo poderme despertar cada día junto a cabras, ovejas, cerdos, gallinas, caballos y Samuel, el ternero que cada día me hace pensar en todos los que son asesinados por el consumo de lácteos.

Ahora puedo mirarlos a los ojos y decirles que los quiero de verdad.

Nuestros seguidores amaban a Samuel, y el escrito de Coque hizo que muchos se pusieran en su lugar, se volvieran veganos y quisieran venir a conocer a nuestro pequeño.

Comenzaron a llegar muchos veganos a ver el Santuario. Tantos, que en el único bar que había en Ogassa hicieron un menú vegano (incluso con crema catalana vegana); como también era un hostal, los visitantes se quedaban allí a pasar la noche, y en el desayuno pedían café con leche vegetal.

En el pueblo de al lado, Sant Joan de les Abadesses, la pastelería Salvat comenzó a hacer pasteles veganos, y al anunciarlo nosotros empezaron a recibir pedidos de todas partes de España y hasta de otros países de Europa. En Navidad se dedicaron a hacer turrones veganos, que hoy les siguen encargando.

Otros establecimientos, al ver que el pueblo se llenaba de veganos los fines de semana, incluyeron en sus menús hamburguesas, salchichas y pizzas veganas.

Lo mismo sucedía en los pueblos cercanos. A los bares que ofrecían leche vegetal les dábamos un cartel con la foto de Samuel y el texto «Este comercio es amigo de los animales».

Resultó toda una revolución para una comarca que, irónicamente, es ganadera. Pero, claro, eso también nos hizo tener más enemigos que solo deseaban que nos fuéramos.

Supongo que dirían eso de que «con las cosas de comer no se juega».

Nosotros pensábamos lo mismo. En otro sentido, claro. E íbamos a presentar batalla.

UNA TONELADA
DE PURA TERNURA

«Una de las glorias de la civilización sería
el haber mejorado la suerte de los animales.»
THÉOPHILE GAUTIER (1811-1872)

Después de años y años de lucha por parte de muchos activistas, por fin comenzaba a haber más sensibilidad con el sufrimiento que padecen las vacas en las granjas. Tanta, que hasta llegó a la Escuela de Capacitación Agraria de Lleida, donde enseñan a explotarlas. Una de sus vacas dio a luz y murió a los dos días, quedando huérfano un ternero macho al que iban a mandar a una granja de engorde, para más tarde enviarlo al matadero. En la escuela había estudiantes que nos seguían, y consiguieron convencer a sus profesores para que en vez de eso lo cedieran al Santuario.

El día que nos llamaron para pedirnos si podíamos quedarnos al ternero, Coque y yo nos abrazamos y lloramos: unos estudiantes adolescentes se estaban concienciando gracias a nuestro trabajo. Eso nos dio muchas fuerzas y nos hizo sentir muy orgullosos de lo que estábamos haciendo.

El ternero, Pedro (lo llamamos así por mi abuelo), tenía únicamente tres semanas. Era de noche y estaba encerrado en una jaula solo. Los estudiantes nos ayudaron a subirlo a la furgoneta, y cuando nos íbamos también lloraron emocionados porque habían conseguido salvarlo. Fueron momentos muy intensos para nosotros.

Pedro estaba sano, pero a nosotros aún nos duraba el miedo por lo que había sucedido con Aida y Geraldine. Así, los primeros días durmió con nosotros en la habitación, donde podíamos tenerlo más controlado. Después, como aún era tan bebé, para protegerlo y que no se hiciera daño sin querer tuvimos que apartarlo del resto, en el recinto donde teníamos la minienfermería. Solo salía para estar un ratito con Samuel por las mañanas, mientras Coque y yo vigilábamos. Lo protegíamos mucho.

En el recinto donde estaba Pedro también vivían Olga y Jordi, dos corderitos. Ella había llegado apenas dos días después de nacer. A él lo trajeron desde Mallorca cuando fue encontrado junto a su madre muerta, ciego por una enfermedad que lo había dejado sin párpados. Se hicieron amigos inseparables: Olga perseguía continuamente a Jordi, y Pedro a ambos. Los tres se tumbaban juntos; era muy bonito ver aquellas imágenes tan tiernas. Con el tiempo conseguimos que Jordi recuperara la visión en uno de sus ojos. Hay vídeos muy entrañables de los momentos en los que yo le hacía las curas y se me quedaba dormido encima.

Samuel no se apartaba de la valla donde estaba Pedro; se pasaba el día llamándolo y dándole besos a través de esta. Con el tiempo comenzamos a dejar que Pedro, Olga y Jordi fueran con los demás, y al ver la reacción de la oveja Hele-

na nos tranquilizamos mucho: se convirtió en la mamá de todos, y se pasaba el día protegiéndolos. Era muy bonito ver cómo iba a buscarlos (incluso a Samuel y a Pedro, a los que quería mucho) cuando llovía para que entraran en la caseta y no se mojaran.

Samuel se convirtió en el hermano mayor de Pedro, y sus mimos y cuidados le vinieron muy bien, ya que hasta entonces siempre había estado muy nervioso. Comenzó a imitar a Samuel, que era todo amor, hasta el punto de que le cambió la mirada. Le encantaba tumbarse con Celia, una cabrita abandonada en la montaña en Mallorca porque había nacido con malformación en las extremidades.

Hoy Pedro pesa más de mil kilos, y todo lo que tiene de grande lo tiene de bueno. Es todo ternura y amor. Sigue manteniendo los vínculos con Olga, Jordi, Helena y las demás cabras y ovejas con las que creció. Cada mañana, antes de irse a pasar el día a los prados con las demás vacas y toros, se detiene un momento ante la nave para ir a saludar a sus amigos.

¿Verdad que nada de esto encaja mucho con la idea que nos han inculcado sobre la agresividad de los toros? Eso es porque es falso. La violencia no está en su naturaleza. En realidad, son seres muy pacíficos que se pasan el día pastando, igual que las vacas.

CAMBIAMOS DE CASA. EL MUNDO ES EL MISMO

«Es increíble y vergonzoso que ni predicadores ni moralistas eleven más su voz contra los abusos hacia los animales.»
VOLTAIRE (1694-1778)

En la comarca del Ripollès no paraban de hablar del Santuario y de las historias de los animales que rescatábamos. Durante un tiempo fue raro el mes en que no salíamos en algún medio de comunicación. Los fines de semana, Ogassa y Sant Joan de les Abadesses se llenaban de seguidores nuestros.

Pero, claro, en una zona ganadera como aquella, eso escocía a mucha gente con poder que veía peligrar sus intereses. De la noche a la mañana, los medios de comunicación de la comarca dejaron de interesarse.

En todo este contexto, nos empezaron a pasar algunas cosas muy graves. Prefiero no entrar en detalles por el bien de los animales del Santuario. Quizá lo haga algún día, cuando cambie la manera de hacer política en este país. Por ahora, baste decir que todo ello acabó obligándonos a dejar urgentemente Ogassa, nuestro pueblo y donde tan bien nos habíamos sentido.

Fueron tiempos muy duros. La impotencia, el miedo y el estrés no nos dejaban ni dormir. Pero, por fin, encontramos el lugar perfecto para mudarnos: el valle de Salarsa, dentro del término municipal de Camprodon.

Los bancos no quisieron concedernos ningún crédito, pero, por suerte, el propietario de los terrenos acabó aceptando que se los compráramos a plazos. Teníamos que pagar cada mes una cantidad muy elevada y dejarlo todo abonado en cinco años. Si durante un solo mes dejábamos de pagar, lo perderíamos todo y nos tendríamos que ir.

No teníamos más alternativa que arriesgarnos por salvar a nuestros rescatados. Como no podíamos explicar en público nuestras razones, en las redes sociales muchos aprovecharon para hacer publicaciones atacándonos. En otro momento nada de eso nos hubiera afectado, pero por entonces nos hundió.

Por suerte, fue mucha la gente que nos ayudó. Entre ellas, Helga Molinero, que trabajaba para Telecinco, nos hizo un reportaje muy bonito que nos ayudó mucho en esos momentos y que sacaron en los informativos (se puede ver poniendo en Google «Santuario Gaia informativos Telecinco»). David Izquierdo también nos hizo un reportaje centrado en la necesidad de mudarnos, que salió en TV3 y que nos ayudó a que la gente confiara en nosotros (buscar «TV3 el refugio de animales Santuario Gaia se queda sin hogar»).

El 9 de mayo de 2015 realizamos el primer viaje hacia ese lugar que iba a proteger a nuestros niños. Nos llevamos a Samuel, Victoria, Lidia y Paula. Samuel iba con Victoria; miraba con gran curiosidad pero muy tranquilo, sin ningún miedo. Coque y yo (que lo estaba grabando todo) íbamos en otro coche, detrás del remolque.

Nunca se me olvidará el momento en el que nos miramos mientras bajábamos por el camino que va al Santuario. Sentimos una inmensa alegría al ver nuestro nuevo hogar.

Al llegar y bajar, Samuel se quedó paralizado, como si no se creyera lo que estaba viendo, hasta que me acerqué y le di un beso; en ese momento salimos los dos corriendo felices.

Pero también fueron momentos muy duros: en realidad estábamos muy solos en el día a día, muy alejados de todo. Decidimos que viviríamos en un antiguo cobertizo para animales. No teníamos ni luz ni agua, y para hacer las publicaciones nos íbamos andando cada tarde a la ermita de Sant Valentí de Salarsa, donde había algo de cobertura, para contar historias cotidianas y tener informados a nuestros fieles seguidores.

Nos pasábamos el día haciendo vallados provisionales para poder traer a todos los animales. Los primeros fueron los que sabíamos que corrían peligro. Aquello nos supuso un gran descanso.

Por la noche, como no había luz, los dos nos metíamos en la cama y leíamos a la luz de una vela. Suena muy idílico, pero tuvimos que estar así mucho tiempo; en invierno nos levantábamos con escarcha en el pelo del frío que hacía.

Lo que hemos sufrido Coque y yo para sacar a nuestros niños adelante solo lo sabemos nosotros. Estábamos dedicando toda nuestra vida a nuestros animales, olvidándonos a veces de nosotros mismos.

AMIGOS INTELIGENTES Y MUY LIMPIOS BUSCAN NUEVO HOGAR

«Los animales sienten, como los hombres,
alegría y dolor, felicidad e infelicidad.»
CHARLES DARWIN (1809-1882)

oque y yo nos pasábamos el día habilitando el nuevo Santuario para poder trasladar a todos los animales que estaban en Ogassa. Con el calor de los meses de mayo y junio acabábamos cada noche agotados, sin poder ducharnos, viviendo en un cobertizo de veinte metros cuadrados con seis perros y cuatro gatos. Por no mencionar que, en esas condiciones, ni se nos pasaba por la cabeza disfrutar de ningún momento de intimidad.

Cuando por fin conseguimos tener preparado el vallado del espacio donde iban a vivir los cerdos, el 17 de junio de 2015 comenzamos a trasladarlos a todos. La familia de estos animales había aumentado bastante. Tres meses antes, el 20 de marzo (Día Mundial Sin Carne), habían llegado Guillem y Ramón, dos cerdos supervivientes de las riadas del Ebro a su paso por Zaragoza, donde habían muerto más de diez mil animales ahogados; los ganaderos los habían dejado encerrados en las granjas para poder cobrar las ayudas correspondientes. Todo muy humano.

Muchos activistas se desplazaron hasta las zonas afectadas para poder ayudar a los animales. Primero se encontraron con una cerdita atrapada en una acequia y consiguieron sacarla, y después vieron que en la misma estaban también Guillem y Ramón, sin poder salir. La cerdita murió horas más tarde, y Ramón estuvo muy enfermo de neumonía por la hipotermia que había sufrido.

Cuando nos avisaron del caso de Guillem y Ramón, tuvimos que encontrar un nuevo espacio para mudarnos, no pudimos negarnos a ofrecerles un hogar.

Pero no contábamos con ningún espacio habilitado para ellos, así que las primeras semanas durmieron con Coque y conmigo en nuestra habitación. Digo «durmieron», porque a nosotros nos lo pusieron difícil: eran cerdos de seis meses, muy grandes porque habían sido engordados para enviarlos al matadero, y cada vez que intentábamos cerrar los ojos ellos levantaban la cama para llamar nuestra atención.

Aun así, resultó muy bonito y emocionante. En cuanto llegaron a Ogassa, los dos grandullones se pusieron a saltar y a correr dando vueltas sobre sí mismos, como si supieran que habían llegado a su hogar, como si lo hubieran estado esperando. Cada noche me tumbaba con ellos para enseñarles que no todos los humanos somos iguales, y que se había acabado el sufrimiento que habían padecido desde que nacieron. Les hablaba transmitiéndoles tranquilidad y amor a la vez que les hacía un montón de caricias, hasta que se quedaban profundamente dormidos. Entonces apagaba la luz y les daba las buenas noches.

Entre Ramón y Guillem, nuestra necesidad de mudarnos y los miedos que ello acarreaba, y los ataques de asma que me daban cada noche porque soy alérgico a todos los animales, unas semanas más tarde se produjo un accidente en el que volcó un camión que transportaba lechones a una granja de engorde de La Rioja. De entre los supervivientes de los más de 800 lechones, solo 16 fueron rescatados y enviados a refugios y santuarios. Ciento cincuenta fueron recogidos por los propietarios de la explotación y trasladados para cumplir su trágico destino, y el resto agonizaron allí mismo hasta fallecer o fueron asesinados a golpes. ¿Cómo no íbamos a ayudar? Abrimos las puertas del Santuario a Xita, Leti y Raúl, que llegaron con fracturas de cadera, fémur y tibia, y tuvieron que ser operados.

Recuerdo que, cuando encontramos el terreno de Camprodon, me acerqué a Ramón y a Guillem, que estaban fue-

ra de nuestra casa tomando el sol, y les conté que iban a vivir en un espacio de más de siete mil metros, donde podrían correr y comer hierba fresca con todos los demás cerdos. Mientras hablaba apareció Marina, la oveja ciega que habíamos rescatado de Mallorca y que tanto miedo tenía; se quedó escuchándome atentamente, así que la miré y la hice partícipe de la conversación. Ella acercó su cara a la mía, y ese gesto de confianza por su parte me llenó de nuevas fuerzas ante lo que estábamos pasando con la llegada de tantos animales nuevos.

Ramón y Guillem son a día de hoy los jefes de la familia de su especie en el Santuario. Los cerdos tienen muy establecida una jerarquía, y cada vez que llega alguien nuevo se la dejan bien clara. Por eso es normal que durante un tiempo tengamos separados a los más nuevos; a veces ese período puede ser de más de un año.

A pesar de que Ramón y Guillem son los más grandes de todos los cerdos, con más de 400 kilos, e impresiona mucho verlos, nunca han tenido un mal gesto con nosotros, son todo amor. Siempre que nos ven nos dicen «Te quiero» con un ruido muy especial y echándonos el aliento encima. Eso es algo que solo hacen con aquellos con los que mantienen un vínculo muy fuerte, ya sean de su misma especie o de otra.

Y es que los cerdos tienen un lenguaje propio; usan diferentes sonidos para comunicarse entre ellos y con los demás, y expresan que están felices, que tienen hambre o que sienten miedo. Hemos aprendido que son muy inteligentes y extremadamente cariñosos.

Si de verdad la sociedad los conociera, no les harían las barbaridades que les hacen. Me duele pensar en lo mal que deben de pasarlo en las granjas, obligados a vivir entre sus propios excrementos, cuando por naturaleza son muy escrupulosos: no soportan la suciedad, nunca hacen sus necesidades en sus habitaciones, y como alguna comida esté cerca de una caquita, ni la tocan. A pesar de su injustificada fama, son los animales más limpios que hay en el Santuario.

TINA, LA CONFIANZA TRAICIONADA

*«Debo combatir el dolor de los otros porque
es dolor, como el mío. Debo obrar en bien
de los otros porque son, como yo, seres vivos.»*
SHANTIDEVA (685-763)

Un mes después de habernos mudado nos fuimos hasta Castellón para rescatar a Tina, una ternera de la raza de lidia, la que se utiliza para torear y celebrar los festejos taurinos. Tenía tan solo siete meses y había sido decomisada de una finca en la que hacían capeas ilegales con ella y se divertían zarandeándola, golpeándola y provocándola para que embistiera. Para hacernos una idea, de resultas de algún golpe durante esos malos tratos le faltaban varios dientes.

A Coque y a mí nos costó muchísimo cogerla para sacarla de la finca. La pequeña tenía muchísimo miedo y corría mucho; no había manera de acercarnos, así que tuvimos que cansarla para luego tirarnos sobre ella.

Sin embargo, y al igual que tantos otros habitantes del Santuario, en cuanto entró y vio lo que había se tranquilizó.

Pasó lentamente del remolque al cuarto donde iba a vivir su período de adaptación y se durmió en paz, agotada por el viaje. Y eso que el espacio en cuestión era mínimo; todo estaba aún a medio hacer y ni siquiera teníamos un vallado adecuado a un animal de sus características.

Una vez que Tina descansó, Coque y yo entramos en la habitación, muy despacio para evitar asustarla. Pero había pasado demasiado miedo en su vida; en cuanto nos vio empezó a embestirnos repetidamente. Me quedaba quieto para que viera que, aunque nos atacara, no íbamos a hacerle daño, pero ella no paraba y tuve que acabar saliendo, era ella la que me estaba dañando a mí.

La pobre estaba aterrorizada. Decidimos que para empezar necesitaba a alguien de más confianza. Nos fuimos a los prados grandes en busca de Samuel, que siempre nos ha ayudado en la adaptación de los nuevos.

Siempre hemos pensado que Samuel era totalmente consciente del trabajo que hacíamos en el Santuario, porque cada vez que llegaba alguien nuevo no se apartaba de su lado hasta conseguir calmarlo, con mucho amor y delicadeza, incluso respetando el espacio del otro si veía que le tenía miedo.

Al llegar a los prados, Samuel estaba a lo lejos y grité fuerte su nombre para que viniera. En el Santuario, los que se han criado desde pequeños, ya sean ovejas, cabras, cerdos, toros o vacas, saben sus nombres y responden cuando los llamamos. Le expliqué que habíamos rescatado a una pequeña a la que habían hecho mucho daño y que tenía mucho miedo, y necesitábamos su ayuda.

Lo que pasó seguidamente no es algo que comentemos mucho. Sé que resulta difícil de creer, y queremos ser prudentes para que no nos tomen por un par de insensatos.

El caso es que Samuel entendió todo lo que le dijimos, y sin que nosotros nos moviéramos, salió corriendo hacia donde estaba Tina, tan rápido que lo perdimos de vista. Cuando llegamos, observamos que estaba con la cabeza dentro del recinto de Tina, dándole besos.

Al ver aquella estampa y sintiendo ese momento tan maravilloso de conexión entre Samuel y nosotros, decidí entrar en la habitación y sentarme, muy pegado a la pared. David, el cabrito travieso, que no paraba de observar como siempre, saltó dentro y se sentó a mi lado, al igual que Sergio, otro cabrito que habíamos rescatado. Samuel, desde fuera, comenzó a darme besos. Tina nos observaba como si no pudiera creerse lo que veía, otros animales mostrando cariño a un humano. De repente le cambió la mirada y se acercó con calma a olisquearme las piernas, los brazos y la cara.

Desde entonces Tina cambió por completo. Cuando aún no llevaba ni un mes con nosotros, con solo oírnos a lo lejos, nos llamaba para que la acariciáramos y si no lo hacíamos, se rozaba con nosotros, insistiendo. Y es que se pasaba el día con Samuel y Pedro, los dos bonachones, que la ayudaron muchísimo. Tina se convirtió en la sombra de Samuel, eran inseparables.

Nuestros seguidores en las redes estaban asombrados del cambio, sobre todo teniendo en cuenta lo muy maltratada que había sido. Nos grabábamos tumbados con ella, acariciándola como hacíamos con Samuel y con Pedro.

Pero un día, por culpa del Departamento de Ganadería, todo el trabajo que habíamos hecho con ella se fue a pique. Había que hacer saneamientos, unas analíticas obligatorias en todas las explotaciones de animales para el consumo, por mucho que nosotros seamos lo contrario de eso.

El caso es que tuvimos que pinchar a Tina para sacarle sangre. Ella soltó un grito como nunca habíamos oído. Era un grito de dolor que le salía del alma. Y lloró, gritó y lloró. Sentía que la habíamos traicionado. Desde aquel día, nunca más se ha dejado tocar ni ha permitido que nos acercáramos a ella.

Como entre los humanos, vimos que ganarse la confianza de otro ser es algo muy delicado, y un traspié de un segundo puede echar por tierra el trabajo de meses.

JAVI Y PATRI, AMOR A PRIMERA VISTA

*«La inteligencia animal no es una inteligencia
humana menos evolucionada que la del hombre,
sino sencillamente una inteligencia distinta.»*
Dominique Lestel (1961)

En julio de 2015 se puso en contacto con nosotros Andrea, una chica que estudiaba veterinaria y que estaba haciendo las prácticas en una granja intensiva de cerdos, porque la mitad de los hijos de una cerda que parió a primeros de mes habían nacido muertos y otros dos nacieron con problemas en las articulaciones sin poder caminar. El granjero mató a golpes contra el suelo a uno de ellos y a Javi lo salvó ella, que estaba presenciando ese horrible momento. La madre de Javi estuvo agonizando durante dos días hasta que murió sin ningún cuidado ni atenciones veterinarias. Al suplicarle al ganadero por la vida del cerdito, se lo cedió e inmediatamente Andrea, para poder salvarle la vida, lo llevó a una clínica veterinaria, donde quedó ingresado.

El 15 julio fuimos a por Javi, que así fue como lo llamamos, porque los veterinarios decían que había que practicarle la eutanasia, ya que no iba a mejorar, pero nosotros queríamos intentarlo como siempre hacíamos. La mañana del 18 de julio Javi se levantó con la pierna derecha muy inflamada y no podía caminar y nos asustamos mucho pensando que iba a morir. Era tan solo un bebé que necesitaba cariño, y ahora que había sido salvado y estaba descubriendo un mundo muy diferente al que vio al nacer, no podía marcharse tan pronto. Ese día hicimos una publicación en la que le hacíamos una promesa a nuestro pequeño:

«Javi, por tu hermano, por tu madre a la que dejaron morir agonizando durante dos días, y por todos los que están siendo explotados en estos momentos, los que ya han sido asesinados y los que pronto lo serán, no pararemos de luchar hasta conseguir un mundo mejor para todos, un mundo en el que todos seamos tratados como iguales».

En las redes sociales no paraban de escribir palabras de ánimos para Javi y para nosotros, y conforme fue pasando el día, el cerdito fue mejorando. Pero una de las cosas que más nos llegaron al alma fue que la chica que lo había rescatado y toda su familia se hicieron veganos por Javi.

Vivía con Coque y conmigo en El Cobert, junto con los perros y los gatos, y empezó a comportarse como uno más de la familia. Creó un vínculo tan fuerte con nosotros que en cuanto nos veía sentados en el suelo venía corriendo para tumbársenos encima y así recibir mimos. Aunque eso también pasaba a la inversa, pues cuando Coque y yo veíamos a Javi tumbado, nos echábamos a su lado hasta quedarnos dormidos, era nuestro bebé. Cada noche, cuando nos sentábamos al ordenador para contestar los correos y realizar todas las gestiones, Javi se me acercaba empujándome con su narizota para que lo cogiera en brazos, y aunque se me quedaban las piernas dormidas porque ya pesaba bastante, lo cogía porque era lo que mi niño quería, y se me quedaba dormido encima mientras trabajaba por hacer un mundo mejor para todos. Era muy gracioso porque cada vez que lo besábamos, cerraba sus ojitos y sacaba la lengua, y es que el pequeño se derretía al recibir cariño, tanto que se le caía la baba literalmente.

Desde que llegó Javi al Santuario no sabíamos lo que era dormir más de tres horas seguidas, yo estaba fatal con la espalda, el cuello y veinte mil cosas más por no dormir bien, pero me daba igual todo, pensaba que ya llegaría el día en el que podría volver a dormir un poco más; para mí lo importante era que se salvara, y por el momento lo estábamos consiguiendo, y no solo eso, sino que ya era un cerdo feliz junto a nosotros, para él ya éramos su familia. Y es que nos quería muchísimo, que aunque los cerdos tienen vértigo —por eso cuando se los coge chillan tanto— cuando cogíamos a Javi cerraba los ojos, sacaba la lengua y se dormía, y eso era porque se sentía protegido en nuestros brazos, como cualquier niño en brazos de sus padres.

«¡Tenemos muy buenas noticias, Javi ya puede caminar!», así empezaba una publicación que hicimos el 2 de agosto, la noticia que tanto esperábamos. Habíamos dado toda nuestra alma para conseguirlo, muchas noches sin dormir, cuidados, vigilancia y sobre todo mucho amor. A partir de ese día comenzó a descubrir un nuevo mundo: el tacto de la hierba, escarbar con su naricita, el calor del sol, el olor de las flores... Pero algo mejor iba a llegar a su vida, su gran amor.

Una trabajadora de una granja intensiva de cerdos de la provincia de Barcelona nos contó que una cerda que estaba encerrada en las jaulas llamadas parideras había aplastado a una de sus crías sin querer al no poderse mover, y que le había provocado algún tipo de lesión que le impedía caminar.

El 25 de agosto de 2015 fuimos a rescatar la vida de Patricia, que tan solo tenía veinticinco días. De la granja nos dirigimos al Hospital Veterinario de la UAB, donde le hicimos muchas pruebas, entre ellas placas y un TAC. No se vieron ni fractura ni luxación vertebral, pero sí una inflamación o contusión en la zona lumbar y dos costillas rotas. Así que nos recomendaron reposo estricto y fisioterapia, además de quedarse ingresada unos días en el hospital para así controlar también la función neurológica y la hernia inguinal, para que no se estrangulara.

Cuando nos la pudimos llevar al Santuario, nuestros seguidores se desvivían por ayudar a Patri, tanto que comenzamos a hacerle sesiones de electroacupuntura y acupuntura para así lograr que pudiera caminar y tener una vida mejor. Se llevaban a cabo en la clínica veterinaria Grup Sabavet de Sabadell, que nos regalaban algunas de las sesiones. En el Santuario le hacíamos fisioterapia cada día, y cada semana íbamos a Sabadell para las sesiones de electroacupuntura. No se me olvidará en la vida un día que llegamos y estaban allí tres estudiantes de veterinaria, que al enterarse de que íbamos ese día, se presentaron con un donativo para la siguiente sesión de acupuntura. Era muy emocionante ver cómo personas de todas las partes del mundo se estaban volcando en ayudar a una cerdita que no podía caminar.

En octubre estrenó una silla de ruedas que pudimos comprar gracias a toda esa ayuda, el mismo día que Patri conocía a nuestro Javi. Fue amor a primera vista, lo que se dice un flechazo, que a día de hoy sigue como ese primer día que se vieron. Las imágenes que colgábamos en las redes de los dos nos derretían de amor a todos.

Con el tiempo conseguimos que se mantuviera en pie mientras comía, momento que aprovechábamos para hacerle fisioterapia. Cada mañana lo primero que hacíamos Coque y yo era darle el desayuno a Patricia y hacerle fisioterapia en las dos piernas, para que así no se le quedaran entumecidas y tuviera mejor movilidad. Estableció un vínculo muy fuerte conmigo, y cuando la cogía en brazos se quedaba dormidita.

Patri cada día era más consciente de todo, y aunque tardáramos en colocarla en su sillita de ruedas, esperaba paciente, cosa extraña en los cerdos, pues la paciencia es un don que en ellos brilla por su ausencia; más en ella con el carácter que siempre ha tenido, que cuando los demás rescatados la veían pasar con la silla, todos se apartaban porque corría chillando a diestro y siniestro.

En marzo de 2016 colgamos un vídeo en el que se veía a Patri muy contenta mientras yo le limpiaba su habitación, un vídeo muy tonto pero que se hizo viral, titulado «Cerdita paralítica feliz al limpiar su cama». Todos querían a Patri, hasta tal punto que en octubre de 2016 nos enviaron un pantalón que habían confeccionado para ella, para que no se hiciera daño en las piernas mientras estaba tumbada.

Conforme iba creciendo, cada vez le fue costando más estar en la silla de ruedas, hasta que un día ya no quiso utilizarla más. Nuestra Patri era feliz sin poder caminar, pero nosotros quisimos mejorar su vida como haríamos con cualquier humano, así que a finales de mayo de 2017 finalizamos la construcción de un espacio especial para ella, un sitio pulido en el que podía arrastrarse sin hacerse daño y con una piscina donde poder entrar y salir sola. La factura ascendió a 5.000 €, y aunque muchos nos criticaron por gastarnos tanto dinero en una cerda en vez de matarla, los que querían a Patri celebraron ese día tan esperado.

A día de hoy Javi y Patri siguen viviendo juntos, no saben estar el uno sin la otra, son dos cerdos muy felices. En invierno hay días que Javi tiene que tomar medicación porque le duelen las articulaciones, es un problema que arrastrará toda su vida, pero cuando está bien, corre más que cualquiera de nosotros.

Según *National Geographic*: «Los cerdos son animales curiosos e intuitivos, y se cree que tienen una inteligencia mayor a la de un niño humano promedio de tres años de edad. Son más inteligentes que los perros y tan amigables, leales y cariñosos como ellos. Cuando viven en un entorno natural, no en granjas industriales, son animales muy sociables, juguetones y protectores que crean lazos unos con otros, hacen sus camas, se relajan en el suelo y se refrescan en el lodo. Reconocen sus nombres, son capaces de jugar a videojuegos mejor que algunos primates, y llevan vidas sociales de una complejidad previamente observada únicamente en primates. Los cerdos tienen una excelente memo-

ria a largo plazo. El Dr. Curtis puso una pelota, un *frisbee* o disco volador y una mancuerna en frente de varios cerdos y fueron capaces de saltar, sentarse al lado o ir a buscar cualquiera de los objetos cuando se les pedía que lo hicieran, y de distinguir los objetos tres años después.»

ESO NO SE LE HACE A UNA ABUELA

«¡Dejemos de hacer del hombre
la medida de todas las cosas!»
Frans de Waal (1948)

Marieke era una mula que había sido utilizada durante cuarenta años para arar el campo y cargar troncos. Donde vivía lo normal es que cuando se hacen mayores y dejan de ser útiles se les dé un «pescozón», que consiste en un golpe en la nuca para matarla. Pero tuvo la suerte de que la Asociación Cacereña para la Protección y Defensa de los Animales nos avisaran para que fuéramos a por ella y pudiera pasar sus últimos días en el Santuario.

Recorrimos dos mil kilómetros para llevarla desde Cáceres hasta Girona. Fue uno de los viajes más duros que hemos hecho, ya que, aparte del cansancio de recorrer tantos kilómetros en tan poco tiempo, el estado de Marieke dificultó mucho su traslado.

Durante el recorrido hicimos una parada en el santuario madrileño El Valle Encantado, que nos dio posada para que

Marieke pudiera descansar una noche. Vinieron a vernos los responsables del Santuario Vegan, el otro de Madrid, con el que teníamos muy buena relación; deseaban conocer a Marieke y darnos todo su apoyo.

Fueron momentos muy bonitos compartiendo experiencias de los refugiados de tres santuarios. Cómo lloré cuando conocí al burrito Dani, del Valle; había seguido la historia desde el día de su rescate. Y cómo nos emocionamos Coque y yo cuando ayudamos a curar el muñón de Dani.

Al reanudar el viaje tuvimos que hacer un alto en un área de servicio para que Marieke pudiera descansar. Al bajarla del remolque le fallaron las piernas y se desplomó, con tan mala suerte de que el suelo era de arena y cada vez que intentaba levantarse resbalaba y se volvía a caer.

Fueron momentos de mucho miedo: veíamos que perdía fuerzas y se rendía. Intentamos levantarla, pero resultó imposible, por lo que tuvimos que llamar a emergencias. El 112 contactó con la Guardia Civil, pero les dijeron que ellos no podían hacer nada y, además, si Marieke salía a la vía pública nos multarían.

Por suerte, pudimos contactar con los bomberos de la Diputación de Zaragoza, que se personaron enseguida y nos ayudaron a levantarla con la ayuda de otras personas que había allí.

El ver cómo gente a la que no conocíamos de nada intentaba hacer algo por una abuelita que ya no podía más con su vida fue uno de esos momentos que se te quedan grabados a fuego en el corazón.

En cuanto llegamos al Santuario subimos un vídeo que

emocionó mucho a todos nuestros seguidores: en él, yo decía que por fin había llegado el momento de que se acabaran las cadenas para Marieke, mientras se las retiraba. El vídeo se puede ver en YouTube; se llama «Liberada de las cadenas después de 40 años».

Al día siguiente, cuando Coque y yo fuimos a comprar comida a Camprodon, los vecinos nos paraban por la calle para preguntarnos por Marieke. Casi todo el pueblo había estado siguiendo en directo el rescate de la abuelita. De nuevo, ante cosas así es imposible no emocionarse. ¡Y después, claro, me dicen que soy un llorón!

Sabíamos que la abuelita no iba a durar mucho tiempo, así que todos en el Santuario nos desvivimos por ella. Nos pasábamos horas cepillándola y acariciándola, dándole todos los besos que no había recibido durante cuatro décadas. Le gustaban tanto los mimos que, aunque estuviera comiendo, paraba para dejarse querer.

Marieke vivía en la zona de adaptación junto con Tina. A pesar de lo terremoto que era la pequeña, con Marieke tenía mucho cuidado; sabía que era una abuelita que casi no podía moverse y pasaba muchas horas haciéndole compañía.

Un día Marieke se tumbó y no pudo levantarse. Tuvimos que encargar una grúa especial que nos permitiera levantarla cuando se cayera. Éramos muy pocos los humanos que vivíamos en el Santuario, y una noche tuvo que venir un voluntario desde otro pueblo para ayudarnos. Pero la grúa nunca llegó a construirse: Marieke empezó a caerse a diario, y poco después nos dejó.

Fue una abuelita muy amorosa que se llevaba muy bien

con Tina y con Celia, se quedaba embobada mirando a Patricia corriendo con su sillita de ruedas, y a Javi le aguantaba todas las gamberradas. En sus últimos días dormíamos con ella para que no estuviera sola, y lo más bonito fue cuando avisamos a nuestros voluntarios de que Marieke se iba a ir; vinieron todos desde diferentes ciudades para despedirse de ella.

Puestos a marcharse, no hay como hacerlo rodeada de una gran familia que te quiera con toda el alma.

LA GANADERA VEGETARIANA Y OTRAS HISTORIAS INSPIRADORAS

> «*Sea cual sea la naturaleza de un ser,*
> *el principio de igualdad exige que su*
> *sufrimiento se tenga en cuenta de una*
> *forma igual a todo sufrimiento parecido.*»
> PETER SINGER (1946)

Si a veces me tienta dejarme llevar por el pesimismo y pensar que hay desgracias que nunca cambiarán, recuerdo cuando conocimos a la ganadera que se había hecho vegetariana.

La mujer nos seguía por Facebook, y empezó a enviarnos correos pidiendo que la llamáramos por teléfono. No nos fiábamos mucho, pero ante tanta insistencia lo hicimos.

Nos contó que se había hecho vegetariana por nosotros y que quería dejar su actividad como ganadera. Tenía una vaca de veinte años a la que iba a enviar al matadero, pero que ya no se sentía capaz de hacer eso y nos la cedía. Y así nos fuimos Coque y yo hasta Cantabria, a salvar a la abuelita Rita.

Al llegar nos pasamos por la aldea de Dobarganes, que había sido fundada por mi tatarabuelo y yo no conocía. Me hizo muchísima ilusión, aunque me fui con un sabor agridulce al ver que (en otra de las ironías de esta historia) quienes vivían allí y llevaban mi mismo apellido se dedicaban a explotar animales.

Rita estaba muy cerca, en un pueblo del municipio de Vega de Liébana. Se nos partió el alma al verla: estaba en una cuadra totalmente a oscuras, atada por los cuernos con una cuerda de menos de un metro. Era de una raza que se cría para que dé a luz cada año y enviar a los hijos al matadero para carne. Eso quería decir que había tenido que ver una y otra vez cómo le robaban a sus hijos. Como no podía ser menos, el sufrimiento se le notaba en la mirada... y en el carácter, cuando se acercaba un humano a ella.

Regresamos al Santuario de madrugada. Rita estaba muy tranquila; era como si ya conociera el lugar. La dejamos en una habitación y Samuel, Pedro y Tina se pasaron toda la noche junto a la puerta, acompañándola y haciéndole ver que el Santuario era un sitio que había sido construido desde el amor.

Como tenía tanto carácter quisimos que su adaptación fuera muy lenta, por miedo a que le pudiera hacer daño a algún otro rescatado.

Los primeros días no quería salir de su habitación, seguramente porque no estaba acostumbrada a hacer lo que quería y no sabía cómo actuar sin estar sujeta a una cuerda.

Cuando por fin salió estaba muy contenta; no paraba de observar el gran espacio del Santuario, mirando todo lo que había a su alrededor. Se asustaba cuando veía a los pavos y se quedaba muy asombrada al comprobar que Samuel, Tina y Pedro, que eran de su misma especie, nos querían tanto.

Aquel día empezó a conocer a los demás animales a través de la valla y a fiarse más de nosotros. Dejó que la cepillara y, al comprobar lo agradable de la sensación, levantó la cabeza y la cola para que la rascara mejor. Todos los rescatados estaban pegados a la valla; deseaban ver a la abuelita con esos enormes cuernos que tanto nos imponían a todos.

Más adelante decidimos probar a que tuviera el primer contacto con los demás animales. Teníamos miedo, pero lo que ocurrió fue muy emocionante. Rita se acercó a Pedro con cuidado y estuvo unos cinco minutos lamiéndole la frente. Samuel, siempre muy correcto, guardó las distancias; sabía que era ella la que tenía que hacer el acercamiento cuando se sintiera preparada.

Al cabo de unas semanas empezó a mugir muy fuerte cuando veía a los demás animales camino de los prados grandes. Los llamaba porque quería ir con ellos. Ya estaba adaptada del todo. Cuando se lo permitimos por fin, se puso a correr y a saltar, y fue la primera del grupo. Los demás la seguían jugando; fue toda una fiesta familiar.

Ella se encontraba bien a pesar de sus 23 años de edad. Siempre había sido genio y figura: era la jefa de la familia de vacas y toros. Muchas veces se plantaba en el camino de subida de los prados grandes y los demás se quedaban por detrás sin moverse, esperando a que ella decidiera avanzar.

En las familias de vacas y toros hay un líder y un jefe. Samuel era el líder, decidía dónde ir y cuándo, y Rita era la jefa, todo el día alerta para proteger a su familia. Era la abuela sabia, muy respetada y querida por todos.

Un tiempo después recibimos una magnífica noticia: la ganadera que nos había cedido a Rita decidió por fin dejar de explotar a las vacas que le quedaban, otras dos, y también nos las dio. El reencuentro de las tres amigas fue muy emocionante: ¡cuánto se alegraron al verse después de un año separadas!

A Rita acabó saliéndole un bulto muy grande en la parte ventral del cuello. Le hicimos pruebas para determinar de qué se trataba. La biopsia y la analítica de la glándula tiroides confirmaron la peor de las noticias: tenía un tumor.

Comenzó a perder mucho peso. Por la noche, cuando volvía de los prados grandes, en vez de dejarla con los demás la metíamos en una habitación para que estuviera más calentita y pudiera comer más tranquila.

Llegó a estar tan delgadita y tan débil que decidimos que no fuera más a pasar el día a los prados grandes, y le habilitamos un espacio. De ánimos andaba muy bien, pero éramos conscientes de que cualquier día nos daría el susto, así que queríamos tenerla controlada y muy bien atendida.

A mí se me partía el alma al verla tan consumida, y publiqué en Facebook: «Soy muy consciente de que a Rita no le queda mucho tiempo de vida, pero me siento orgulloso de estar dándole una vejez digna. No estamos acostumbrados a ver vacas viejas porque las asesinan antes en los mataderos, pero ella morirá en este paraíso que hemos construido con vuestra ayuda, rodeada de mucho amor. Te quiero tanto, abuelita...».

Era muy bonito ver a una vaca abuelita y enferma viviendo tranquila y feliz sus últimos días. Y aunque Rita nunca pudo disfrutar de la maternidad, en el Santuario tuvo la oportunidad de ser la jefa protectora. La mamá de todos.

Y yo tuve la satisfacción de pensar que, si las acciones del Santuario habían hecho que hasta una ganadera se volviese vegetariana..., quién sabe lo que podremos llegar a ver algún día.

MAYA Y NIEVES, LAS VACAS QUE CAMBIARON MUCHOS CORAZONES

> *«La mayor parte de nosotros amamos*
> *a los animales, pero nuestra compasión*
> *se detiene al borde de nuestro plato.»*
> Matthieu Ricard (1946)

Cuando Maya cumplió cinco años, la explotación lechera donde estaba cerró y todas las vacas fueron enviadas al matadero. Maya tuvo la suerte de que la acogiera una persona que se apiadó de ella por sus creencias como *hare krishna*. Pero comenzó a tener problemas de salud y no podía seguir cuidando a Maya y a Nieves, la otra vaca que tenía. Al nacer les quemaron los cuernos para que no les crecieran, algo muy habitual en las explotaciones de vacas lecheras, por eso se ven a las vacas sin cuernos.

El 25 de febrero de 2016 nos fuimos hasta Guadalajara para llevarnos a Maya al Santuario, ya tenía 19 años. Nada más llegar, Coque y yo nos acercamos para explicarle con mucho cariño dónde nos la llevábamos, que allí la estaba esperando una gran familia y que a la semana siguiente vendríamos a por su gran amiga Nieves.

Maya era muy tierna y muy habladora, y su primera noche en el Santuario nos llamaba porque no nos veía, así que fuimos y le enseñamos su habitación explicándole que ahí podía dormir. Cuando despertamos a la mañana siguiente, pensábamos que estaría investigando, pero se había quedado relajada dentro de su habitación, que le encantaba.

Con tan solo dos días viviendo en el Santuario, el 28 de febrero, vivimos algo con Maya que nos conmovió muchísimo a todos. Esa mañana un grupo de siete cazadores estaba asesinando frente al Santuario a un jabalí, y en el momento en que los perros ladraban y se empezaron a oír los disparos, Maya se quedó mirándolos fijamente sin apartar su mirada ni un instante. Al ver que los cazadores arrastraban el cuerpo sin vida del jabalí para subirlo al todoterreno, se puso a chillar queriendo llamar su atención, mientras lloraba y sus lágrimas caían al suelo sin parar. En ese momento Maya demostró que una vaca tenía más empatía que muchos humanos.

En marzo la juntamos por primera vez con los otros rescatados, y mientras ella iba investigando, los demás la acompañaban detrás respetando su espacio; aunque Samuel y Pedro se morían de ganas por jugar con ella, ellos sabían por experiencia que, para que los nuevos se adapten bien, tienen que dejarles su espacio. Durante todo el tiempo le hacían gestos de sumisión a la abuelita Maya, que se sintió muy tranquila.

El 3 de marzo fuimos a por Nieves a Guadalajara y casi no cabía en el remolque, era enorme. Tenía 15 años y había nacido en una granja de Murcia donde explotaban a las vacas por su leche, pero como tenía la enfermedad llamada gigantismo y también era estéril, no era rentable para el ganadero y quiso matarla. Así que iban a enviarla al matadero al poco tiempo de nacer, pero Nieves fue salvada por el *hare krishna*.

A la mañana siguiente nos sorprendió cuando vimos que había abierto el grifo para beber agua. Se adaptó muy rápido y días más tarde la llevamos para que conociera a los demás. Fue muy gracioso porque como era tan grande, todos se quedaron sorprendidos al verla, y lo mejor fue que cuando Maya vio que era Nieves la que había llegado, pasó de ella olímpicamente y se fue a comer. Y es que no hay diferencia entre ellos y nosotros, cuando alguien no te cae bien es lo que tiene.

El 17 de marzo cayó una gran nevada, y como pasaba cada vez que nevaba, sabíamos que ese día era una jornada de juego para nuestros niños, así que lo primero que hicimos antes de dar los desayunos fue coger la cámara para grabarlo todo y poderlo compartir con nuestros seguidores. Las imágenes que grabamos de todos corriendo y jugando felices fueron tan bonitas que salieron en muchas televisiones de todo el mundo. Se veía a Maya y a Nieves, que era la primera vez que iban a los prados grandes, junto a Samuel, Pedro, Rita, Tina y las ovejas y cabras todos corriendo felices y jugando entre ellos, fue precioso.

El día que llegó Macarena y volvían los animales grandes de pasar el día en los prados, al verla no quisieron apartarse de su habitación. Maya no se movió en toda la noche de allí, y llamaba continuamente a Macarena para que le hiciera caso. Le salió el instinto protector, pero esa noche no pudimos dormir ninguno, menuda velada nos dio la abuelita.

A pesar de que Nieves tenía mucho carácter con las demás vacas y toros, ella aceptó desde el primer momento que Rita era la jefa y Samuel el líder, y se pudo ver en algún vídeo que colgamos en las redes que, con todo lo grandota que era, no tenía problemas en ponerse a besarlos. Me gustaba cantarle nanas a Nieves porque agachaba su cabezota enorme para que la abrazara y se quedaba muy tranquila.

El 2 de junio Nieves estaba estupenda como siempre, y estuvimos por la tarde con ella abrazándola y dándole mimos, porque era lo único que ella quería. Por aquel entonces era la vaca más mimosa y cariñosa de todos. Pero por desgracia, al día siguiente, al levantarnos, nos encontramos su cuerpo sin vida y sin síntomas de haber sufrido. Se le paró el corazón en su lugar preferido, en la zona donde siempre se tumbaba para dormir.

El 13 de julio publiqué una fotografía en mi Facebook contando una experiencia maravillosa que conmovió mucho a todos:

Hace un ratito he ido a los prados grandes a ver a las 16 vacas, toros y terneros porque no regresaba ninguno para pasar la noche donde siempre. Cuando he llegado al primer prado me ha recibido la amorosa Maya, y hemos pasado un buen rato dándonos mimos mutuamente.

He seguido caminando para ver a los demás y Maya me ha acompañado. Al ver a la pequeña Mercé no he podido evitar cantarle la canción de cuna que siempre les canto, y ella me ha respondido 😊 *hasta que ha venido su madre y se ha ido corriendo para comer.*

He visto que a lo lejos estaba Samuel tumbado y he ido hacia allí, mientras me iba encontrando a los demás y los he saludado a todos.

Al llegar hasta Samuel lo he besado, y Maya que me acompañaba ha comenzado a hacer lo mismo. Mientras ocurría esto se ha acercado Macarena y se ha tumbado al lado, y han ido viniendo todos a tumbarse alrededor y a darse besos. En ese momento me he puesto a llorar al recordar que faltaba Nieves, la echo mucho de menos.

Más tarde volvíamos Coque y yo junto con Matilde en sus brazos hacia la cabaña donde vivimos. Por el camino me he parado a atarme los cordones y como Coque seguía hacia delante, Matilde se ha puesto a chillar llamándome. Como pensaba que era casualidad, hemos repetido la misma escena y ha hecho lo mismo 😊*, la pequeña no quería dejar a su papá detrás solo.*

Qué familia tan bonita tengo, me tienen agotado con tanto trabajo 😊 *pero no cambio mi vida por nada del mundo».*

El 7 de octubre Maya no pudo levantarse, así que llamamos a la veterinaria porque la abuelita se estaba apagando, se encontraba sin fuerzas. Dormíamos con ella para que tuviera siempre la mantita puesta y no le bajara la temperatura y para cambiarla de postura. Dos días más tarde Maya nos dejaba de madrugada mientras estábamos todos con ella. Tenía 20 años y ya era una abuelita con los achaques típicos de la edad, como nos pasa a los humanos, pero con la gran diferencia de que ella pudo irse rodeada de amor y cariño, ya que las vacas suelen ir al matadero con unos seis años cuando bajan la producción de leche. La llegada de Maya a nuestras vidas fue un regalo, era un ser muy especial, una abuelita cariñosa que solo quería mimos, y nos enseñó a todos que la vida es mucho mejor cuando se trata a los demás con amor.

UN REGALO DE LA VIDA

«Toda crueldad sobre otra criatura
es contraria a la dignidad humana.»
PAPA FRANCISCO I (1936)

Clara, Kika, Inma, Amaya, Rosalía, Guizmo, Teresa, Santi, Glo, Tami, Inés, Triana, Frida... y así hasta treinta y cinco ovejas llegaron juntas al Santuario tras una experiencia espeluznante: un ganadero las había dejado abandonadas en una nave, en Navarrete, donde tuvieron que vivir junto a más de ciento cuarenta cadáveres de sus compañeras por todas partes, incluyendo los bebederos que tuvieron que seguir usando para sobrevivir.

No teníamos ni espacio ni personal suficiente como para atenderlas. Pero no podíamos abandonarlas, tan delgadas y débiles que se caían al caminar. Como siempre, hicimos lo que pudimos en cuanto a cuidados y medicación. Y la familia seguía creciendo, porque muchas de ellas habían llegado embarazadas. Fueron momentos preciosos pero también preocupantes.

Por suerte todas ellas, conscientes de la situación, colaboraban: una oveja que acababa de perder a su corderito pero aún tenía leche se ofreció a alimentar a un pequeño huérfano que se había quedado sin madre.

El problema es que, por mucho que hiciéramos, experiencias tan traumáticas como esas dejan importantes secuelas. En este caso, muchas desarrollaron problemas neurológicos y fueron perdiendo el movimiento en las extremidades. No se podía hacer nada.

Sin embargo, en ningún momento vivimos la situación como una desgracia. Al contrario: el convertirnos en sus manos y sus pies para ayudarlas nos hizo establecer con ellas un vínculo aún más fuerte, y eso no se paga ni con todo el oro del mundo. Fue un regalo de la vida el que llegaran a nosotros, tanto que, aún a día de hoy, no estamos muy seguros de quiénes fueron los rescatadores y quiénes los rescatados.

VACAS DE LUTO

«La amabilidad hacia los animales
acostumbra, de una manera "asombrosa",
a la benevolencia hacia los hombres.»
PLUTARCO (46 O 50-120)

Mucha gente cree que solo los humanos tenemos inteligencia como para celebrar rituales sociales complejos. No hace falta ir a visitar a los elefantes africanos para saber que eso es una tontería; basta con ver a las vacas en nuestros campos.

Cuando en la Asociación Animalista VoxÁnima encontraron a Marta, estaba atada a la puerta de un corral en Boiro por los cuernos, sin poder moverse. En el interior había otras quince vacas en un estado deplorable. La Asociación consiguió su custodia.

Su estado de abandono era muy grave. Tenían toda clase de enfermedades y lesiones. Varios santuarios trabajamos conjuntamente para hacernos cargo de todas, a pesar de los problemas con las administraciones, que jugaban muy sucio: siempre se ponían del lado del maltratador.

Hubo que actuar de urgencia y sacarlas de Galicia cuanto antes. Seis de ellas fueron al Santuario Vegan madrileño, que por aquel entonces se llamaba Wings of Heart, y las otras diez se vinieron con nosotros a Girona. Los gallegos Mino Valley Farm Sanctuary y Vacaloura ayudaron en todo momento pero no pudieron acoger a ninguna: de quedarse en Galicia, la administración iba a matar a las vacas antes que dejar que las salvaran.

Cuando llegó el camión a la urbanización de Font Rubí en Camprodon, como era tan grande y no podía bajar hasta el Santuario, el conductor, muy amable y simpático, en vez de ayudarnos a encontrar una solución abrió las puertas para dejarlas allí sueltas y que nos apañáramos como pudiéramos. ¡Vaya sinvergüenza!

Por suerte, en la urbanización vivía Ramón, que colaboraba con nosotros como carpintero y, como es una persona sensible ante el sufrimiento que padecen los animales, abrió rápidamente las puertas de su casa y metimos a todas las vacas en su jardín. Estas alucinaron con tanto verde... pero más nos sorprendimos nosotros al ver cómo le dejaron al pobre Ramón el jardín, aunque él estaba muy orgulloso de ayudar a salvarlas.

Tuvimos que bajarlas hasta el Santuario una a una en el remolque, media hora de ida y otra media de vuelta cada vez. Llovía y el traslado se nos hizo eterno. Yo las cuidaba en el jardín mientras Coque se encargaba de llevarlas. No comimos ni cenamos, y acabamos exhaustos.

Marta llegó con sus hijas adultas Elvira y Virginia, que era la mejor amiga de Francisca. Berta, de cuatro años, iba con su hija Núria y los gemelos Eva y Fermín, además de Mercè, hija a su vez de Núria. Eduardo, que nosotros supiéramos, no tenía relación con ninguna.

Estuvieron unos días en la zona del patio de la nave para que pudiéramos curarles bien las heridas. El día que se juntaron con las demás vacas y toros del Santuario fue precioso. ¡Qué feliz corría la pequeña Mercè!

Hay algo que nunca hemos contado, y es que Tina, al ver aparecer de repente a tantas vacas, se descontroló; se puso a chillar y a correr de tal manera que Coque y yo no sabíamos cómo apartarnos de su camino. Nos subimos, muertos de miedo, a un antiguo remolque de madera roto. Creí que no íbamos a salir vivos. Pero hay que comprender a Tina; cualquier humano que sufriera de tan pequeño los mismos maltratos que ella acabaría traumatizado.

Ninguna de las vacas y terneros de Boiro se dejaban tocar. Nos tenían pánico, y eso dificultaba el poder atenderlos bien. El primer día nos asustamos mucho con la dulce Elvira porque se caía de culo y le costaba mucho levantarse: tenía problemas graves en la cadera.

Mi Samuel, como siempre, las trataba a todas con tanto amor y delicadeza que se nos caía la baba viéndolo. Maya las ignoraba y seguía comiendo, que era lo único que le importaba. Lo que nos sorprendió fue el encuentro entre las dos matriarcas: Rita, jefa de la familia de toros y vacas del Santuario, y Marta, que lo era de las vacas de Boiro. En cuanto se vieron se juntaron y pasaron todo el día la una al lado de la otra como si fueran amigas de toda la vida. Desde aquel día, ambas se encargaron de proteger a la familia, que seguía creciendo.

La esperanza de vida de una vaca suele ser de unos 25 años. Marta tenía solo 12, pero su mirada era como la de un humano que ha sufrido mucho y vive por vivir. No confiaba nada en nosotros, aunque, cuando más adelante enfermó dejó que Coque le hiciera las curas, mientras nosotros la acariciábamos y le dábamos besos. A pesar de ser un momento de gran dolor para ella, sabía que la estábamos ayudando. Desde ese día su mirada cambió por completo.

Poco después tuvimos que meter a Marta en un box porque estaba muy débil y no quería comer. Con todo el dolor de nuestros corazones tuvimos que acabar ayudándola a marcharse. Pero al menos había pasado dos años viviendo en libertad junto a sus hijas Virginia y Elvira. Nos apenó mucho ver lo triste que se sentía Tina.

Lo que sí se veía era algo muy curioso para quienes no conocen las costumbres de las vacas y los toros. Fueron pasando todas las vacas y toros uno a uno por su habitación para despedirla, y es que los bovinos hacen una especie de ritual cuando uno de ellos muere, y todos juntos caminan en círculo alrededor del cuerpo sin vida mientras lloran desconsoldamente.

Eso demuestra, para los científicos, que los animales tienen plena consciencia de sí mismos y de cada miembro de su familia como individuos, cosa que hace tiempo se creía que solo pasaba entre las personas; y, para los no científicos, que, una vez más, animales y humanos están mucho más cerca de lo que les parece a algunos.

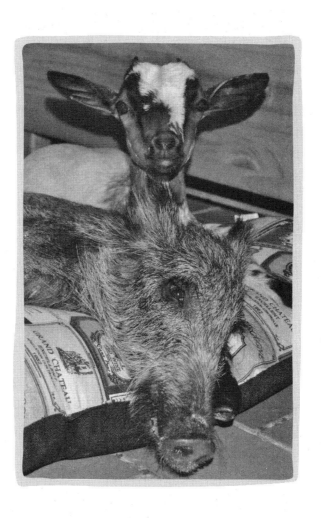

MATILDE, LA CABRITA DE INMENSO CORAZÓN

*«Difícilmente puede amarse la virtud si uno se
alegra con los platos y banquetes de carne.»*
San Basilio de Cesarea (333-379)

Matilde nació paralítica. Llegó a nosotros gracias a una mujer que nos contactó.

En cuanto la recogimos nos fuimos directos al Hospital Veterinario de la UAB, donde se quedó hospitalizada para hacerle pruebas que nos ayudaran a saber qué tenía y así poder actuar. Estábamos pasando por unos momentos muy complicados con la llegada de tantos animales, eran muchos gastos para habilitar nuevos espacios y con Matilde se dispararon aún más, pero ¿qué íbamos a hacer? ¿Íbamos a dejar a esta pequeña sin ayuda?

Nos convertimos en sus manos y en sus pies, trabajábamos con ella siempre al lado, nunca estuvo sola en ningún momento. Coque se la llevaba todas las tardes a los prados pequeños y la alzaba con sus brazos para que pudiera comer las hojas de los árboles que más le gustaban. Jamás había visto así a Coque con ningún habitante, y yo sabía que cuando ella se fuera, lo iba a pasar muy mal, porque Matilde lo que tenía era una enfermedad degenerativa que la iría irse apagando poco a poco.

Por aquel entonces vivían en el Santuario con nosotros Elena y Gloria, dos chicas que se conocieron cuando comenzaron el voluntariado y se enamoraron. Esas cosas bonitas que pasan en Gaia (muchas personas siempre nos han preguntado si lo del nombre de Gaia iba porque somos gays). Elena estudiaba en su tiempo libre auxiliar de veterinaria para poder ayudar mejor en el Santuario, y era precioso verla con Matilde al lado, que la observaba todo el tiempo.

En el Santuario teníamos también a Natalia, una pata que no podía caminar. La compraron como un juguete para unos niños que no la alimentaron ni cuidaron bien y que la tuvieron siempre encerrada en una minúscula jaula.

Qué momentos de comunicación nos regalaban las dos niñas. Aunque no podían caminar, se las apañaban para hacernos entender lo que querían en cada momento. Recuerdo que cuando llegó Sonia, una cría de jabalí que habían atropellado, durmió la primera noche junto a Matilde. Eran dos bebés que necesitaban nuestro cariño y cuidados. Después de meses de recuperación y pasar por tres cirugías, Sonia volvió a caminar, y aunque le faltaba un trozo de hueso de su mano derecha, la podías ver correr feliz junto a Jacob y Elsa, sus dos amigos del alma, de los que nunca se separaba.

Pedro y Samuel cada vez que veían a Matilde pedían que se la acercáramos para besarla, y es que estos dos niños grandes siempre han sido muy conscientes del trabajo que hacemos en el Santuario, y ellos se sentían parte del equipo, ayudando a los nuevos que iban llegando y ayudándonos también en las despedidas

En septiembre colgamos un vídeo supergracioso donde se nos veía a Coque y a mí con Celia, la cabrita con malformación en sus extremidades, y Matilde, los dos corriendo con ellas en nuestros brazos como si estuvieran haciendo una competición de carreras entre ellas. Éramos sus padres y como buenos padres hacíamos todo lo posible para que nuestras niñas fueran muy felices.

A las 9 de la mañana del 23 de septiembre nos dejaba Matilde. De repente comenzó a respirar muy agitada, y mientras Coque la tenía en sus brazos, la pequeña me habló, y yo con los ojos llorosos le dije: «Tus papis están contigo», me dijo adiós con su mirada y se le cerraron los ojos.

Nos abrazamos los dos llorando desconsoladamente,

pero el llanto de Coque era muy diferente al de otras veces, tanto que tuve miedo. Así que, por su bien, tuve que ser fuerte y calmarme. Sabía que la muerte de Matilde le iba a pasar factura y mi deber era cuidar a la persona más importante de mi vida.

Fueron momentos muy tristes para todos los que formaban parte de alguna manera del Santuario, se había ido nuestra niña mimada, nuestra pequeña Matilde que nos acompañaba en todo lo que hacíamos. Qué vacío tan grande dejó en nuestros corazones un ser tan pequeño e indefenso.

LA «CABRA» LIA, UNA GRAN INCORPORACIÓN HUMANA

«La mayor parte de la experimentación
con animales es inútil.»
HENRY HEIMLICH (1920-2012)

El 25 de agosto de 2016 entraba por las puertas del Santuario Lia, una gallega que nos revolucionó a todos. Recuerdo la mañana en que la vi por vez primera, con su cara de no haber roto nunca un plato, saludándonos a Coque y a mí emocionada como si hubiera visto a dos famosos de la televisión. La había llevado hasta el Santuario un «taxista» que era cazador y le había estado comiendo la cabeza diciéndole que la caza era muy necesaria. ¡Menudo recibimiento tuvo la pobre!

Esa misma tarde le explicamos las normas del Santuario y ella solo supo decir que sí a todo. Para colmo, cuando sacó un cigarrillo y vi que era una marca que experimenta con animales (tienen perros de raza beagle encerrados con tubos en la boca, respirando humo toda la vida hasta que se mueren), le expliqué que tenía que pasarse a una marca que no lo hiciera. Aquello la puso más nerviosa aún. Para quitarle hierro al asunto le dije que no se preocupara, que fumara del tabaco que teníamos allí, que yo era tan inútil que necesitaba una maquinita para liármelos cuando quería fumarme uno.

La llevamos a los prados grandes para que conociera a las vacas y los toros. Estaba tan emocionada por conocer a Samuel que le hablábamos y ni nos escuchaba. Le insistimos en que tuviera cuidado con el pastor, y ella se volvía y nos miraba con una sonrisa, hasta que por fin nos contestó, muy dulce: «Anda, qué bien que tengáis un pastor». ¡Cómo nos reímos con la *galleguiña* al decirle que nos referíamos al pastor eléctrico!

Ahora que la conozco bien sé que cuando me decía con una sonrisa que había entendido todo lo que yo le explicaba, en verdad no había sido así. Durante los primeros días de emoción, el estar en Gaia la hacía flotar en una nube de felicidad muy lejos del mundo de los mortales que la rodeábamos.

Nos pusimos a limpiar la nave y ella, por estar toda mona, siguió con sus vaqueros largos. ¡Cómo sudó la chica! Qué risa, parecía un pollito mojado. Y cómo cambió con el tiempo: hoy se la ve siempre con el pelo lleno de barro y paja, que más que currar parece que disfrute revolcándose por el suelo. Trabaja en todo momento con una sonrisa en la cara, sin quejarse de nada. Es la típica mamá servicial siempre dispuesta, por muy cansada que esté, a sacrificarse por atender bien a sus hijos.

Yo era superpesado con el tema de las puertas cerradas

y los pestillos. Al segundo día de estar en el Santuario, la despistada de Lia se dejó abiertas las puertas del patio donde estaban las ovejas y las cabras, que salieron todas, y tuvimos que montar una buena para meterlas otra vez dentro. Le volví a insistir en la importancia de que se asegurase con las puertas, porque algún animal podía ir a parar al almacén, atiborrarse de comida y morir. Sé que la asustaba, pero era un riesgo real.

Al día siguiente, otra voluntaria que estaba con ella se la dejó también abierta, y al otro igual... La tercera vez seguida me puse a chillar, muy cabreado. Entonces Lia se dio cuenta de que yo no era ningún ser de luz y de que tengo un genio...

Sinceramente, creía que Lia no iba a pasar el período de prueba porque metía la pata continuamente. Pero a día de hoy es la persona que más tiempo lleva ayudándonos a Coque y a mí. Y no solo eso, sino que con los años la incluimos en el equipo de responsables, junto con Coque y conmigo.

No hay día que no me diga que cada vez se parece más a mí, que me entiende perfectamente, que somos como dos gotas de agua. Lo que me preocupa es que le están pasando las mismas cosas que a mí, comete los mismos errores, y tiene que cuidarse más porque de lo contrario, acabará como yo.

En definitiva, la llegada de Lia fue una bendición tanto para los humanos como para los no humanos. Todos ganamos con su presencia, y no hay nadie en el Santuario que no la quiera. Es la mamá Lia.

EL REENCUENTRO QUE DIO LA VUELTA AL MUNDO

«En verdad os digo que quien saca ventajas
del perjuicio ocasionado a una criatura
de Dios no puede ser honesto.»
JESÚS DE NAZARET (4 A. C. 30 / 33 D. C.)

Un matrimonio vegano de EE. UU. que estaba de vacaciones en un hotel rural de Vallromanes (Barcelona) nos mandó un correo electrónico: se habían enterado de que iban a enviar al matadero al ternero que tenían allí, y nos pedían ayuda para salvarle la vida. Contactamos con el hotel, y después de luchar mucho por intentar salvarlo, por fin fuimos a por aquel ternero que cambiaría la vida de tantos humanos.

Su madre había sido inseminada artificialmente para que tuviera un hijo y así producir leche, que ofrecerían a los clientes con la etiqueta de «ecológica». El padre era un macho de una raza destinada para carne; así, cuando naciera el ternero, pesaría más al engordarlo y conseguirían más dinero por él.

Cuando Coque y yo lo metimos en el remolque para llevarlo al Santuario, el ternero tenía apenas siete meses. Recuerdo cómo me acerqué a su madre (que volvería a ser inseminada para que siguiera produciendo leche) y le hice una promesa mientras ella intentaba escaparse para ir tras su hijo: «Volveréis a estar juntos».

Isaac se pasó toda la noche llorando, al igual que al día siguiente, y al otro, y al otro... Y así durante semanas, llorando, chillando, llamando a su madre desconsoladamente. Coque y yo estábamos muy contentos por haberle salvado la vida, pero ver tanto dolor en un ternero que tan solo tenía meses de vida y que solo deseaba estar al lado de su madre resultaba insoportable.

Como Isaac no paraba de llorar, nos fuimos a los prados grandes, donde estaban todas las vacas, toros y terneros, para pedirle a Samuel que nos ayudara y estuviera con él.

Al igual que había pasado antes con Tina, en cuanto le explicamos que había llegado un habitante nuevo que estaba muy triste y que necesitábamos su ayuda y queríamos que se viniera con nosotros, Samuel salió corriendo y saltando feliz hacia la cabañita donde vivíamos Coque y yo, a la entrada del Santuario, como si lo hubiera entendido todo. En este caso, Isaac estaba mucho más lejos, pero supo perfectamente dónde encontrar al pequeño, como si hubiera entendido cada palabra que le habíamos dicho.

Isaac seguía llorando, y Samuel, experto en curar los corazones rotos, se quedó a su lado, besándolo sin parar. Con los días eso lo fue tranquilizando, y el ternerito comenzó a imitar todo lo que hacía su nuevo amigo. Aunque Isaac no se dejaba tocar, un día empezó a buscarnos para jugar, igual que Samuel cuando nos veía.

Nuestros seguidores no soportaban ver a un ternero tan triste por querer estar con su madre, así que hicieron una recogida de firmas para que el hotel la cediera al Santuario. Mientras, nos llevamos también a Maya junto a Isaac y a Samuel, que veían al otro lado de la valla del patio de nuestra cabañita al corderito Nil y el cerdito Jacob, quienes vivían con nosotros. Isaac imitaba tanto a su amigo que un día lo vimos darles besos a través de la valla. Era precioso, como ver al propio Samuel.

Más adelante, y como el hotel no hacía más que poner impedimentos para que la madre pudiera venir al Santuario, nos llevamos a Isaac a que conociera al resto de habitantes y comenzara a vivir con las vacas, toros y terneros del Santuario. Samuel y Maya custodiaban al pequeño, que se sentía protegido. Cuando vio por primera vez a ovejas y cabras fue precioso; no paraba de saltar y correr como lo que era, un niño.

En el momento en que lo juntamos con los grandes, Tina y Pedro, que amaban a Samuel, su gran hermano mayor y al que llevaban varios meses sin ver porque estaba cuidando del pequeño Isaac, se fueron corriendo hacia él y se pusieron a saltar los tres juntos. Fue todo un momentazo. A Fermín le gustó tanto Isaac que desde que lo vio no quiso separarse de su lado, hasta que consiguió que lo aceptara como amigo. Qué familia tan bonita tengo, cuánto amor hay en todos ellos.

Tres meses después llegó por fin el día tan esperado, y fuimos a por Helga, la madre de Isaac. Cuando salió del remolque y oyó de lejos los gritos de felicidad de su hijo no paró de hablarnos y agradecérnoslo.

La historia del reencuentro de Isaac con su madre dio la vuelta al mundo; llegó a salir en muchas televisiones. Isaac estaba tan feliz, y los humanos del Santuario lloramos tanto... En cuanto estuvo junto a su madre se puso a mamar, y ella no paraba de besarlo. Cuando terminó de tomar esa leche que tanto había echado de menos, se llevó de paseo a su madre, orgulloso, y le enseñó todos los rincones y le presentó a los habitantes que tanto lo habían cuidado.

Al mes de llegar Helga al Santuario vivimos un momento precioso con ella, un día en que me fui a los prados grandes y abracé a Macarena. Isaac estaba tumbado, y al ver lo que hacía, se levantó para que también lo abrazara a él. A su vez, la madre, al ver que su hijo se levantaba y venía hacia mí, se acercó y me pidió lo mismo. Aquel momento nos emocionó mucho a todos: era la señal de que Helga se estaba adaptando muy bien a la nueva vida en libertad junto a su hijo.

Tres meses más tarde, Helga murió por una repentina dolencia. El día anterior había estado tumbada en los prados grandes sin poder levantarse, y ante la gravedad de la situación, mientras llegaba la veterinaria de los rumiantes, Coque le tuvo que realizar una incisión en el abdomen para sacar todo el gas del rumen; la presión estaba provocando que no pudiera respirar y se estaba muriendo. Cuando llegó la veterinaria, Helga ya se había recuperado, pero seguía sin poder levantarse. Se le administraron antiinflamatorios y medicamentos por vena para tratar la hipotensión. Las dieciocho vacas y toros que vivían por aquel entonces en el Santuario se iban acercando a cada instante para verla.

El timpanismo puede provocar un colapso general y, aunque se saque todo el gas, es posible que muchos órganos queden afectados. Eso fue lo que le pasó a Helga. Tan solo tenía siete años, pero su estado físico siempre nos había sorprendido: parecía mucho más mayor que la abuelita Rita, que tenía veinte.

Su hijo Isaac no se apartó en ningún momento de su lado, incluso después de que falleciera. Cuando Coque y yo fuimos con el tractor para recoger el cuerpo sin vida y subirlo en el remolque, nos fue muy complicado: todas las vacas y toros estaban alrededor de Helga, mientras su hijo lloraba desconsoladamente. Una vez lo conseguimos, todos se pusieron a llorar y a dar vueltas en círculos alrededor. Grabé esas imágenes, pero nunca las publicamos porque estaba tan triste que no tenía ánimos para editarlas.

Durante meses Isaac no quiso relacionarse con nadie, ni con humanos ni con los de su propia especie. Se apartaba y se iba solo, muy lejos de todos. Necesitaba hacer su duelo. Por muy toro que uno sea, la muerte de una madre no es nada fácil de llevar. Ni siquiera nos permitía tumbarnos a su lado, porque se levantaba y se iba. Samuel, su gran hermano mayor, era el único al que permitía que se le acercara.

Tengo que hacer mención de Jose, un voluntario que acababa de llegar al Santuario y que aún sigue viviendo con nosotros. Qué bien se portó con Isaac: cada día se preocupaba por él para que se sintiera lo mejor posible, y hasta consiguió que Isaac le dejara sentarse cuando también estaba Samuel. Por cosas como esa, Jose se convertiría más tarde en el responsable del cuidado de las vacas y los toros.

Había establecido una conexión y un vínculo tan fuerte con ellos que, a día de hoy, es un toro más de la familia de los grandes.

Isaac ya está totalmente recuperado de la pérdida de su madre, y una cosa aprendió de nuestro querido Samuel: cada vez que ve a uno de los suyos triste o llorando, se le acerca y lo besa hasta que consigue calmarlo.

Y es que el concepto de familia que tienen los bovinos es algo que los humanos nunca llegaremos a entender, porque aman de verdad, preocupándose los unos de los otros, unidos como una piña.

Sin proponérselo ni saberlo, Isaac fue el mejor ejemplo para millones de personas del mundo entero.

MÁS UNIDOS QUE NUNCA

«Los ojos de un animal tienen el
poder de hablar un gran idioma.»
Martin Buber (1878-1965)

Coque y yo llevábamos casi cinco años de relación, pero en todo ese tiempo nunca tuvimos ni un fin de semana para nosotros, en el que poder hacer algo como cualquier otra pareja que se quiere. Teníamos tantos hijos a los que atender, tantas preocupaciones y tanta responsabilidad a nuestras espaldas que no tuvimos tiempo de cuidarnos el uno al otro. Eso terminó por pasarnos factura.

En octubre de 2016 finalizaba nuestra relación como pareja. Fue uno de los momentos más duros que he vivido. Coque era el amor de mi vida, la persona que más quería, y ya no estábamos juntos. O en cierto sentido sí: teníamos que seguir compartiendo nuestra cabañita de 20 metros cuadrados, sacar adelante nuestro proyecto y cumplir con la promesa que nos habíamos hecho al conocernos: dedicar nuestras vidas a salvar a los animales.

Caí en una depresión tan grande que tuve que irme del Santuario unas semanas mientras acudía a terapia con una psicóloga en Sitges. Así fue como conocí ese maravilloso pueblo que tanto me ha ayudado a desconectar en los peores momentos, y donde aprendí a quererme y a estar solo, tanto que ahora disfruto más así que en compañía,

Pero no hay mal que por bien no venga, y es que todo pasa por algo. A raíz de nuestra separación comenzamos a tener días libres, porque si Coque se iba, yo me quedaba como responsable y viceversa. Esos días libres nos hicieron estar mucho mejor de la cabecita, y volvíamos al Santuario frescos y con más energía. Desde entonces, el Santuario no ha dejado de crecer.

Por eso insistimos tanto a los que viven con nosotros en que es muy necesario que salgan en sus días libres. Nosotros ya pasamos por eso y, como buenos padres, no queremos que ellos cometan nuestros mismos errores. También es cierto que por aquel entonces no nos quedaba más remedio, estábamos muy solos y aún no teníamos a nadie lo suficientemente preparado y formado como para quedarse a cargo de nuestra familia.

Hoy Coque y yo estamos más unidos que nunca, y aunque no sigamos siendo pareja, siempre digo que es la persona más importante de mi vida, a la que no solo quiero sino que admiro con todo mi corazón, con toda mi alma, con todo mi ser. Lo que hemos construido juntos muy pocas personas lo han conseguido, y hasta fuimos capaces de superar una ruptura y seguir como si nada. Si eso no fue un motivo para que el Santuario cerrara, sino más bien todo lo contrario, nada ni nadie podrá con nosotros: nuestras vidas estarán siempre al servicio de los animales.

ASESINOS DENTRO DEL SANTUARIO

«*La cura real para nuestros problemas ambientales es entender que nuestra labor es salvar a la Madre Naturaleza. Nos enfrentamos a un formidable enemigo en este campo. Los cazadores.*»
JACQUES COUSTEAU (1910-1997)

Me dijeron que si me veían por el monte, me iban a pegar un tiro.

Como ya he mencionado antes, en mi trabajo he tenido ocasión de hacer enemigos poderosos. A algunos no les conviene que exista un lugar como el Santuario, donde los animales llamados de granja tienen la oportunidad de llevar una vida plena y completa.

En 2016 tuvimos ocasión de celebrar las Navidades, esas fechas en las que tantos corderos son asesinados, salvando vidas. El 21 de diciembre nos fuimos a rescatar a cuatro ovejas de una granja de Lleida que iban a ser enviadas al matadero por haber cumplido seis años, edad a la que la industria ganadera considera que ya son demasiado mayores porque baja su producción, cuando en realidad su esperanza de vida es de unos quince años.

El vídeo que en su momento grabamos para colgarlo en las redes impactó muchísimo. Era aterrador ver las condiciones en las que vivían cientos de ovejas. Los llantos de los corderos que habían sido separados de sus madres para ser asesinados y la desesperación de estas partían el corazón en mil pedazos.

En aquella ocasión nos permitieron rescatar a cuatro de entre los cientos de ovejas que tanto sufrían.

Nadia y Julia estaban muy débiles y desnutridas. Sandra tenía dos antiguas fracturas en las extremidades delanteras que le impedían caminar bien. Pero Nazareth era la que peor estaba; además de su desnutrición y lo débil que se encontraba, tenía en la mandíbula una antigua fractura, y para colmo estaba embarazada. Nos fuimos con ellas a toda prisa, antes de que el ganadero viera nuestras expresiones y se arrepintiera.

Apenas una semana más tarde, Nazareth dio a luz a un hijo muerto, y pocos días después falleció ella misma a pesar de todos nuestros intentos por salvarla. Ni siquiera entonces sus tres amigas quisieron separarse de su lado.

La siguió Nadia al cabo de menos de tres meses. Pero no por su estado, sino —por increíble que parezca, estando en el Santuario— a manos de cazadores.

Llevábamos mucho tiempo denunciando que estos se ponían a dar tiros pegados a nuestra valla del Santuario, y no solo eso, sino que muchos de ellos se metían a través del pastor eléctrico para acceder a los prados grandes, matando a los animales salvajes que entraban al Santuario huyendo de ellos.

En aquella ocasión nuestras ovejas y cabras salieron en estampida, aterrorizadas, y para cuando nos dimos cuenta de lo que había pasado ya era demasiado tarde: uno de los perros de los cazadores había entrado por debajo del pastor eléctrico y había matado a Nadia.

Esa mañana Coque y yo estábamos en Girona reunidos con nuestra abogada. Cuando nos llamaron los voluntarios para contárnoslo, me enfadé muchísimo y salimos a toda prisa hacia el Santuario. Al llegar, en contra de la opinión de Coque, colgué una fotografía de Nadia muerta con el cuello ensangrentado y convoqué por las redes una concentración para el domingo 26 frente al ayuntamiento de Camprodon. Íbamos a exigir un perímetro de seguridad que evitara que los cazadores pudieran acercarse tanto al Santuario. Hicimos una recogida de firmas en change.org y conseguimos más de 115.000 en dos días.

Nos habíamos hartado de tanta desprotección: dedicamos nuestras vidas al cuidado y la recuperación de animales de los que deberían hacerse cargo las propias autoridades, pero estas, en vez de ayudarnos o simplemente respetar nuestro trabajo, no hacían más que poner impedimentos.

Más de cuatrocientas personas de toda España y otros países acudieron pacíficamente a la manifestación para pedir justicia. Los responsables de otras organizaciones internacionales hicieron preciosos discursos en homenaje a la pequeña Nadia.

Al ayuntamiento no se le ocurrió nada mejor que intentar «contraprogramarnos» y llenar el pueblo de carteles que decían *Camprodon con la caza*. Además, algunos lugareños empezaron a esparcir rumores como que apedreábamos a niños paralíticos que montaban a caballo cuando pasaban por la puerta del Santuario. Yo no podía entender cómo, en vez de pedir perdón por lo que había pasado, lo que hacían era sentirse orgullosos de tal asesinato.

Nadia se convirtió en un símbolo contra la caza y cientos de personas hacían escritos para homenajearla por las redes. David Cifuentes compuso una canción para ella, y el dibujante Paco Catalán dedicó una viñeta a la protección de los santuarios frente a los cazadores.

En mayo, Coque y yo tuvimos que hacer un comunicado porque, desde lo ocurrido con la muerte de Nadia, las instituciones ya no es que no nos apoyaran, sino que empezaron a boicotearnos. Comenzaron a llegar denuncias del Servicio de Protección de la Naturaleza de la Guardia Civil y tuvimos ocho inspecciones en menos de un año; en ninguna de ellas pudieron encontrar ni la menor irregularidad. Hasta nos hicieron legalizar la fuente que abastece de agua al Santuario y a todos los vecinos del valle. Aunque ni siquiera estaba en nuestro terreno, tuvimos que pagarlo todo nosotros.

Yo estaba amenazado de muerte, y en el pueblo muchos saben quiénes son los que entre risas decían delante de los responsables del ayuntamiento que iban a pegarme un tiro con sus escopetas de largo alcance. Pero aquí sigo, vivo y orgulloso. Eso sí, aún sin el perímetro de seguridad que tanta falta nos hace.

Es muy triste que haya tanta gente dispuesta incluso a matar por defender su derecho a... matar.

TRES NUEVAS VÍCTIMAS, TRES NUEVAS FORMAS DE CRUELDAD

*«Solo los animales no fueron
expulsados del paraíso.»*
MILÁN KUNDERA (1929)

Uno diría que a estas alturas ya estaríamos acostumbrados a la indiferencia de muchos humanos hacia el sufrimiento de los demás animales. Pero, tristemente, no dejamos de superarnos. Coque y yo tuvimos una nueva ocasión de comprobarlo al salir de urgencia para rescatar la vida de Balbina, una oveja que había sido atacada hacía 15 días y que estaba muy grave.

Ya estábamos acostumbrados a la actitud del ganadero: simplemente le salía más a cuenta comprarse una nueva oveja que ayudarla y curarla, como si fuera un objeto que se rompe y del que uno se deshace.

Pero lo más sorprendente de esta historia fue la actuación del veterinario que nos había avisado y que fue quien nos entregó a la oveja por cubrir al ganadero. La tenía encerrada medio muerta, sin poder respirar, en el maletero de su cochazo. A saber cuántas horas llevaba ahí encerrada la pobre.

Está claro que no todos los veterinarios aman su profesión, o ni siquiera a los animales.

Nos fuimos rápidamente con Balbina a una clínica, a hacerle radiografías. Estas confirmaron que tenía afectada casi todas las articulaciones de las extremidades y le habían salido varios abscesos en las delanteras. Le faltaban las orejas y tenía los canales auditivos cerrados al haberle cicatrizado las heridas. En el cuello tenía más lesiones graves, de las que incluso salían larvas.

Aunque no oía absolutamente nada, cada día la sacábamos al jardín de la casa para que le diera el aire fresco y el sol de la primavera que comenzaba. Eso la animaba tanto que pronto comenzó a comer hierba fresca. Su estado de ánimo era esencial porque la recuperación iba a ser muy lenta, y era primordial que tuviera ganas de vivir. Fue lo primero que conseguimos cuando descubrió todo el amor que hay en Gaia.

Más tarde llegaron los arneses que habíamos comprado para mantenerla levantada con la grúa y poder ejercitar sus extremidades. Ese mismo día recibimos los resultados del cultivo de los abscesos, por lo que por fin pudimos darle el antibiótico adecuado para combatir la infección tan grave que tenía en la extremidad posterior derecha, que tuvimos que escayolar.

Modificamos una de las sillas de ruedas que teníamos en el Santuario para que Balbina estuviera más tiempo con todas sus extremidades estiradas y pudiera hacer fisioterapia más veces al día. Todos los humanos del Santuario nos desvivíamos por ella: era tan tierna, y su mirada transmitía tanto... Una vez, después de la fisio, fue con la silla hacia donde estaban las demás cabras y ovejas del Santuario; quería conocerlas.

Por entonces ya estaba con nosotros Besora, una cabra que se había quedado sola en el monte con una perforación en el abdomen, muy infectado y del que le sobresalían tres costillas rotas y el líquido ruminal. A por ella fuimos Gloria y yo; era el primer rescate de ella, y por poco vomitó en la furgoneta por el mal olor de la pobre cabra, con todo aquel líquido verde que le salía. Allí no había quien respirara. Para colmo nos perdimos y tardamos casi dos horas más en volver. Besora acabó recuperándose, después de pasar por tres cirugías y varios meses de curas.

También estaban Felipa y Débora, dos cabras ciegas que rescatamos en unas condiciones horrorosas en un pueblo de Girona. Estuve un mes con picaduras de pulgas por todo el cuerpo por haberlas cogido en brazos en aquel horrible lugar. La pobre Felipa llevaba toda su vida encerrada en un zulo de un metro por un metro y no sabía caminar recto; para poder moverse tenía que hacerlo en círculos.

El vídeo de su rescate, con las cieguitas tan asustadas y sin saber caminar, emocionó mucho a todos. Hoy corren y saltan, y, aunque siguen ciegas, son felices y confiadas. Aprendieron lo que es el verdadero amor desinteresado.

Balbina y yo teníamos una conexión tan fuerte que sentí la necesidad de explicarlo. A primeros de abril publiqué una foto en la que salía abrazándola, con estas palabras:

Con los años que llevo conviviendo con los animales considerados de granja, y aún me sigo emocionando al ver la conexión que establecen conmigo. Balbina está bastante mal por las heridas que tiene, y yo soy el encargado de sujetarla mientras Coque le hace las curas. Con lo que le tiene que doler y lo molesto que es, ella confía en mí, me mira, yo la miro, y hay un lenguaje con nuestras miradas que solo nosotros entendemos; es el del amor.

Me siento afortunado de poder vivir todas estas experiencias que no se pueden explicar con palabras. Solo lo pueden entender aquellos humanos que de verdad han amado alguna vez. Te quiero, Balbina, y te prometo que vamos a hacer lo imposible por sacarte adelante.

A finales de abril conseguimos acabar por fin con la maldita infección y que desaparecieran los abscesos que tenía en la pierna, así que pudo venir nuestra veterinaria Irati desde Camprodon a escayolarle la pierna fracturada.

Para que Balbina estuviera más cómoda le pusimos un colchón en su habitación. Ella estaba encantadísima con tantas comodidades; era muy consciente de que la estábamos ayudando y eso le hacía tener más ganas de luchar para vivir. Nuestras esperanzas cada día eran mayores porque iba mejorando mucho, y Besora, Felipa y Débora se habían hecho muy amigas de ella y se pasaban el día a su lado, cuidándola.

Un día a las 9 de la mañana, después de que Balbina desayunara, se la puso en su silla de rehabilitación y mientras Gloria la limpiaba, de repente se le detuvo el corazón y dejó de respirar. Qué golpe más duro fue para Gloria el que se le muriera en sus brazos. Y también para todos nosotros, que no nos podíamos creer lo que había pasado.

Durante mucho tiempo, al pasar por delante de la habitación de Balbina volví a oírla, llamándome como siempre que me veía para que entrara y la abrazara. Y yo deseaba volver a entrar y hacer lo que tanto le gustaba, llenarla de mimos mientras le decía lo mucho que la quería.

Para colmo, aquella misma tarde Ariel, una cabrita con días de vida y que llevaba apenas dos con nosotros, murió en mi pecho debido a una artrogriposis.

Muchas veces me pregunto si toda esa gente que abandona a los animales heridos sería capaz de hacerlo si los vieran viviendo felices en el Santuario.

LÁGRIMAS DE AGRADECIMIENTO

«Como custodios del planeta es nuestra responsabilidad tratar a todas las especies con amabilidad, amor y compasión.»
RICHARD GERE (1949)

A la vez que nuestro ayuntamiento nos acosaba para que nos fuéramos del pueblo, el Ilustre Colegio de Abogados de Girona nos concedía el 3 de mayo de 2017 el premio Ànima, unos galardones instaurados para reconocer a aquellas personas, organizaciones e instituciones que trabajan para la protección de los animales y por la defensa de sus derechos. También les fue concedido a los municipios de Roses, Olot y Torroella de Montgrí, en reconocimiento a haber suprimido actos festivos con animales, como los *correbous* y la acosada de patos.

Lo recibimos frente a algunos voluntarios que llevaban mucho tiempo con nosotros, casi desde nuestros inicios, como Xita, Fermín, Juan Carlos, Laura, Marcos, Natalia y Araceli (que nos conoció en su puesto del mercado de Camprodon y nos saludó por primera vez llorando porque seguía todas nuestras historias). También estaba la abogada Marina, que había sido voluntaria con nosotros muchos años.

¡Cómo no iba a llorar yo también en un momento así! Y esta vez, de felicidad, al ver cómo todos nuestros esfuerzos estaban siendo valorados. Pero no fui el único: el *callaíto* de Coque tampoco pudo evitar las lágrimas al escuchar al decano, Carles McCragh, felicitarnos por nuestra labor de rescate, concienciación y denuncia de los malos tratos que llevamos a cabo a través de los medios y las redes sociales.

Ese mismo año también recibimos el premio al mayor crecimiento en *teaming* 2015. Y desde muy pronto contamos con el apoyo de personajes como el actor y vegano Pablo Puyol, que nos donó el dinero que había ganado en una gala del programa *Tu cara me suena*, y el de la cantante Soraya Arnelas. Incluso tuvimos la suerte de recibir la visita en el Santuario de la actriz Lluvia Rojo, que es vegetariana desde hace más de veinte años; nos hicimos amigos, y me ha animado mucho en momentos difíciles con sus buenos consejos.

Con amigos como estos, y con nuestra voluntad, nunca paramos ni pararemos de rescatar animales. Son ya muchas historias con pasados horribles y futuros llenos de esperanza. Y las hago todas mías porque son mis hijos, son aquello a lo que he entregado mi vida.

JORDINA Y PRIMAVERA, DOS CORZAS VÍCTIMAS DE LA CAZA

«Primero fue necesario civilizar al hombre en su relación con el hombre. Ahora es necesario civilizar al hombre en su relación con la naturaleza y los animales.»
VICTOR HUGO (1802-1885)

Una familia encontró a una cría de corzo sola y en muy mal estado, a punto de morir, así que la cogieron y la llevaron a una clínica. Los veterinarios de la clínica llamaron a los Agentes Forestales para ver si se podían hacer cargo de ella, pero les dijeron que ellos lo que harían sería dejarla en el mismo sitio donde la encontró la familia o que, si les daban permiso, le pegarían un tiro. Ante tal situación de falta de compasión y empatía con un bebé que necesitaba ayuda, los veterinarios se pusieron en contacto con nosotros, y el 11 de mayo de 2018 nos fuimos a por Jordina, que había sido rechazada por el Centro de Acogida de Fauna Salvaje de Torreferrusa, con el pretexto de que no era una especie protegida y de que nosotros contábamos con todos los permisos del Departamento de Ganadería para poder auxiliarla.

Como las crías de corzo son tan delicadas y muy difíciles de sacar adelante, no la presentamos a nuestros seguidores hasta que llevaba tres días con nosotros, para no darles el disgusto de otra muerte, cosa que hacemos algunas veces para evitar el sufrimiento a tanta gente que nos sigue porque aman a los animales. Además, cuando anunciamos que estaba en el Santuario, dimos el aviso de que si alguien veía una cría de corzo en el bosque, que no la cogiera, porque seguramente su madre estaría a poca distancia. Y es que siempre nos han llegado muchos correos de gente que se encuentra crías de jabalí o corzos, y no saben que cuando son tan pequeñas, esperan a sus madres inmóviles escondidas mientras ellas salen a comer, por eso mismo el pelaje que tienen estos animales les sirve de camuflaje.

Al cuarto día de estar Jordina en el Santuario, me emocioné mucho cuando escuché su voz por primera vez llamándome para reclamar que estuviera a su lado, nunca había escuchado el sonido de una cría de corzo, y era algo muy tierno. Ella vivía conmigo en El Cobert, y Coque en la casa con los voluntarios, por eso había cogido más vínculo conmigo, porque él se desvivía por ella tanto como yo, pero yo estaba todo el día y toda la noche con ella, y esas noches eran eternas porque a cada dos horas le tenía que dar el biberón.

El día de mi cumpleaños me hice un autorregalo, el mejor regalo que se me puede hacer, salvar una vida. Estaba yo en Sitges para salir a bailar al Queenz, un bar gay que, cuando entraba y escuchaba la música, me ayudaba a desconectar durante unas horas de todos los problemas y responsabilidades del Santuario, un lugar donde podía ser yo y donde nadie pensaba que era un ser de luz, un lugar donde nadie me juzgaba, y me sentía tan bien que me quitaba la camiseta y me ponía a saltar con una sonrisa de oreja a oreja. Tanto sonreía bailando, que me llamaban «el chico de la sonrisa». Pero ese día me fui, porque nos avisaron de que habían encontrado en una carretera a una cerdita muy bebé en muy mal estado y para que no la atropellaran, la cogieron. Seguramente escaparía de la granja en la que estaba o del camión que la llevaba al matadero o a una granja de engorde, donde más tarde sería enviada al matadero para consumo humano. Y conociendo ahora a Queenz como es, se escapó fijo.

Nada más llegar Queenz al Santuario, la pequeña Jordina se hizo muy amiga de ella, y eso que era un terremoto que no paraba quieta, pero era tremendamente cariñosa, como Jordina. Compartimos una fotografía tan tierna de ellas dos durmiendo juntas que el famoso compositor de música estadounidense Moby la compartió en su Instagram y en su Facebook, cosa que sigue haciendo muy a menudo con cada habitante que llega a Gaia.

A Jordina le encantaba tumbarse en una esquina del patio de El Cobert, donde la hierba estaba más alta, seguramente por ese mecanismo de defensa que tienen innato, ya que así permanecen ocultos para los depredadores. Cuando entraba a la casa, se pasaba minutos mirándose inmóvil al espejo, y me hacía mucha gracia porque era tan guapa que yo por detrás le decía: «Espejito, espejito mágico, ¿quién es la más guapa del Santuario?».

Tres días después de mi cumpleaños, recibimos el aviso de una pareja que había encontrado otra cría de corzo, pero con las cuatro extremidades amputadas. Como uno de ellos era veterinario, se la llevaron enseguida a la clínica y le realizaron una cirugía para salvar la vida de la pequeña. La primera noche de Primavera en el Santuario me sorprendió que, a la tercera toma de biberón, empezó a cogerlo bien, y es que Jordina tardó más de una semana en aprender, era desesperante porque se me juntaba una toma con la otra, intentando que tomara muy poco a poco algo de leche. Yo siempre he pensado que Primavera se sentía muy bien con la compañía de Jordina, y eso la hacía estar más tranquila y confiada, a pesar del dolor que debía de tener la pobre cuando le hacíamos las curas, que se dejaba hacer todo sin quejarse, mientras Jordina permanecía a su lado dándole besitos.

Tuvo varias visitas con un traumatólogo, y como parte de los huesos de las manos estaban muy dañados, había que amputar un poco más, pero teníamos que esperar a que estuviera más fuerte. Ahí fue donde nos informaron de que las extremidades se la habían cortado para hacer cubiertos con sus manitas, una práctica muy habitual entre algunos cazadores, que luego dejan a las crías muriéndose mientras se desangran.

Los cazadores no soportaban que tuviéramos un animal de los que ellos se dedican a matar, y que encima estaba ayudando a que la gente empatizara más con una especie cinética, así que la revista *Jara y Sedal* publicó en su web y en sus redes sociales una noticia en la que aseguraban que en Fundación Santuario Gaia presentábamos a Primavera, una corcina, como si fuese un cordero. Además se burlaban de que llevaba zapatos y pañales, cuando lo que llevaba eran unos vendajes porque alguien le había cortado las cuatro extremidades. En todo el artículo solo hablaban de falsedades contra nosotros, menospreciando el trabajo de rescate y recuperación que hacemos, pero tomamos medidas legales contra ellos y tuvieron que quitarla. Y no era la primera vez que esta revista hacía algo similar contra el Santuario.

En junio pudimos operar a Primavera y como salió tan bien estábamos muy ilusionados imaginándola de mayor con sus prótesis corriendo por todo el Santuario junto a su gran amiga Jordina. Cuando entré en la clínica y Primavera me vio, se puso a darme besitos; la pequeña echaba de menos a su papi. La cogí todo emocionado y me senté en el suelo a darle un biberón. Pero más emocionante fue ver cuando Jordina vio llegar a su amiga, y es que ella era muy consciente de que la pequeña Primavera tenía un problema y no se apartaba nunca de su lado, protegiéndola, cuidándola y mimándola.

Era muy emocionante ver a Jordina cuando llovía por las tardes, porque era toda una fiesta para ella. Se ponía a jugar y saltar de felicidad en cuanto comenzaban a caer las primeras gotas. Todo lo contrario que las ovejas y cabras, que en cuanto notan que comienza a llover salen corriendo, y que no te pille en medio, porque te llevan por delante, es un sálvese quien pueda en toda regla.

Como mimaba tanto a mis niñas, un día descubrí que a Primavera le encantaban las hojas dientes de león, y claro, ya me veías mientras trabajaba, llenándome los bolsillos de hojas como encontrara una de esas plantas. Cuando veía de lejos que le traía sus hojas preferidas, venía corriendo hacia mí. Qué tierno era ver ese momento de conexión entre nosotros, y Jordina esperaba paciente sin molestar a que yo también le diera alguna a ella.

Le teníamos que cambiar el vendaje cada 12 horas y medicarla para que no tuviera dolor, y confiaba tanto en Coque como en mí, que incluso podíamos hacerlo solos sin ayudarnos. En julio ya le habían curado muy bien los muñones, pero la prótesis no se le podía poner hasta que fuera más adulta, así que le compramos unos zapatos especiales para que pudiera caminar más cómodamente y sin hacerse daño. Pero ella no se sentía cómoda, así que nuestra voluntaria Araceli le hizo unos a medida, y aun así seguía sin sentirse bien, y su amiga Jordina, que lo sabía, se los quitaba. Coque y yo cuando la vimos hacerlo por primera vez, nos quedamos de piedra. ¿Quién nos iba a decir a nosotros hace unos años que íbamos a aprender tanto de los animales? Los humanos no los valoramos y nos creemos superiores, pero es que no hay ninguna diferencia entre ellos y nosotros, somos nosotros quienes, además de establecer esas diferencias que no existen, ni siquiera tenemos la capacidad de entenderlos, cosa que sí hacen ellos con nosotros.

Octubre de ese año fue horroroso, nos dejaron Marina, Jaio, Tomás, Paula, Amor y Natalia. Coque y yo teníamos unas caras... yo ni dormía por las noches porque me las pasaba llorando, así que decidimos que me tomaba mis primeras vacaciones en seis años, una semanita. Cuando volví de esos días que tan bien me vinieron, Coque y Lia al recibirme estaban muy raros, y es que no sabían cómo decirme que mientras estuve de vacaciones había pasado algo horrible, que no me quisieron contar para que al menos desconectara. El 16 de octubre falleció Primavera ¡por un maldito parásito! Con todo lo que había luchado mi pequeña por salir adelante, y una cosa tan insignificante se la llevó. Eso me hundió nada más llegar de mis vacaciones y me culpaba de su muerte, pensando que seguramente se había muerto porque me echaba de menos, hasta que llegó el resultado de la necropsia.

Pero las desgracias no vienen solas, y cuando aún no nos habíamos repuesto de la muerte de Primavera, el 14 de noviembre fallecía Jordina por un colapso cardíaco. Y en la necropsia se vio que tenía líquido alrededor del corazón (hidropericardio) y en los pulmones. Estábamos Coque y yo en el patio de El Cobert con ella y con los demás bebés, y de repente comenzó a tener dificultad para respirar. Nos pusimos los dos muy nerviosos y nos montamos en el coche corriendo a toda leche para llevarla con la veterinaria Irati y que le hiciese pruebas que nos pudieran decir qué le pasaba, pero por el camino se murió en mis brazos. Estábamos tan mal que no éramos capaces de conducir de vuelta al Santuario. ¿Cómo iba a entrar en mi casa sin ver ni a Primavera ni a Jordina? Se me vino el mundo encima.

EL TERNERO
QUE ME RESCATÓ

«Ahora te puedo ver en paz;
ya no te como.»
FRANZ KAFKA (1883-1924)

La mañana del 27 de noviembre de 2018 me puse todo guapo para ir a hablar con nuestra oficina del banco para tratar temas del Santuario, pues ya se sabe que en este país si te ven con tatuajes eres un perroflauta, pero si vas con traje de chaqueta, por mucho que robes no pasa nada y todo el mundo te escucha, así que me puse mis mejores galas.

Cuando iba con el Seat Ibiza que me compré cuando vivía en Mallorca, y en el que hemos cargado hormigón, sacos de arena, ladrillos, maderas y muchos de los animales que viven en el Santuario, por el camino de La Quera vi sangre, así que di marcha atrás y me puse a seguir el rastro. Me encontré entre los matorrales pegado a la carretera a un ternerito blanco precioso con días de vida lleno de sangre. Tenía la pezuña destrozada y sangre en la boca. Y como en todo el camino ni en el Santuario a día de hoy seguimos sin cobertura, y no pude contactar con nadie para que pudiera ayudarme, cogí al ternero con todas mis fuerzas y lo metí en el coche para llevarlo corriendo a la clínica de Camprodon.

Al llegar, lo sacamos entre la veterinaria Irati y yo, y le curamos las heridas. Desde allí hablamos con el ganadero para avisarle de lo que había pasado. Con él siempre hemos tenido muy buena relación, es vecino nuestro y ya tuvimos una historia muy bonita con otro ternero al que nosotros le pusimos el nombre de Valentí, por el nombre que tiene la ermita que hay en Salarsa. Un ternero se hizo muy amigo de Samuel, que le daba besos a través del pastor eléctrico, y eran tantas las ganas que tenía de estar con él que rompía el pastor para estar a su lado. Era muy bonito cuando nuestras vacas y toros volvían por la noche y él caminaba pegado a Samuel. Así estuvimos tres meses, y nosotros intentando convencer a nuestro vecino para que nos lo cediera, pero no pudo ser porque lo quería como semental.

El Beç, que así es como se llama el ganadero, se puso a llorar al ver el estado del ternero que había sido atropellado, y todo emocionado nos dijo que él no podía curar a un animal en esta situación, porque había que hacerle curas todos los días y él estaba solo, así que nos lo cedió. Y cosas de la vida, ese ternerito era hijo de Valentí. Lia y Coque, que subieron más tarde para ayudarme con el ternero, también se emocionaron mucho cuando vimos a El Beç tan emocionado darnos al ternerito, y bajamos los tres lloriqueando pensando en que un mundo mejor era posible, que al fin y al cabo, todos los humanos tenemos ese corazoncito que en algún momento algo te lo toca y te puede hacer cambiar.

Al pequeño le pusimos el mismo nombre que a su padre, Valentí, solo hacía dos días que había nacido. Le faltaban las dos pezuñas de los dos dedos del pie derecho debido al atropello y uno de sus dedos estaba roto en dos partes. Había que evitar que se le infectara, y teníamos que cambiar el vendaje cada día hasta que se recuperara del todo. Y si conseguíamos sacarlo adelante, con el tiempo habría que ponerle una escayola, porque las pezuñas tardan varios meses en regenerarse.

Al día siguiente Valentí ya cogía el biberón estupendamente y le hicimos la primera cura. Se dejó hacerla sin ningún problema y confiando plenamente en nosotros, pero claro, yo me había pasado toda la noche durmiendo con él en el suelo de mi habitación. El pequeño vivía conmigo para evitar que se le infectara la pezuña, y aunque yo estuviera durmiendo, en cuanto escuchaba el sonido del chorrito de pipí me levantaba corriendo para limpiarlo todo y evitar que se mojara el vendaje.

Yo disfrutaba mucho el momento en el que me metía en la cama y venía a darme besitos, y en esa época que yo estaba tan mal por la pérdida de mi Primavera y mi Jordina, esos besos iban curando mis heridas. Valentí me salvó de caer en una depresión, y es que el pequeño me daba mucha vidilla. Recuerdo un día que hasta publicamos una foto de ese momento porque mientras estaba yo preparándome la cena, se había subido al sofá, que era un somier con un colchón, pero era mi precioso sofá. Con el tiempo quería subir a la cama conmigo a dormir, y esas cosas a mí me derretían de amor, y como no lo dejaba, pues dormía al lado pegadito a mí, y yo con una mano fuera de la cama puesta sobre él.

Confiaba mucho en mí, y eso vino muy bien para poderle hacer las curas, ya que al no tener las pezuñas y ser todo una herida, se le pegaban los dos dedos y teníamos que separarlos para que no cicatrizasen entre ellos, hasta que comenzamos a ponerle un apósito especial.

En noviembre me fui de urgencias a Olot (Girona) para salvar a Felicia, una oveja que corría peligro por parte de los cazadores de la zona, ya que mataron a su compañera, y la familia que la tenía nos pidió por favor que nos la lleváramos porque la iban a matar también. Cómo lloraba esa familia cuando me llevé a Felicia, a la que la habían criado desde pequeña, y qué impotencia porque las autoridades no hacían nada. Y es lo que pasa en estos pueblos, que todos son amiguitos y se cubren las espaldas unos a otros. Cuando metí a Felicia en la furgoneta un matrimonio mayor me llamó por teléfono porque la noche anterior habían encontrado un corderito también en Olot, y estaba solo en la montaña sin ningún rebaño cerca, por lo visto acababa de nacer pero la madre tuvo que dejarlo porque el perro pastor la obligó a seguir el rebaño.

Nada más llegar Olot, que así fue como llamamos al corderito, se hizo muy amigo de Valentí, y colgábamos unos vídeos y unas fotografías tan tiernas de esa bonita amistad que hasta uno de esos vídeos salió en el programa *Aquí la Tierra* de TVE. La llegada de Olot y Valentí trajo tanta alegría a nuestras vidas y nos animó tanto, que el 10 de diciembre colgamos una fotografía en la que aparecíamos Coque y yo muy contentos con ellos dos. Y es que llevábamos una época tan mala, que estos dos pequeñitos nos llenaron de fuerza para seguir adelante con una sonrisa.

El 31 de enero de 2019 anunciamos que Valentí ya se había recuperado, y menuda se formó por las redes sociales, que lo festejaron dejando miles de comentarios alegrándose de esa noticia que con tanta ansia esperaban.

TE QUERRÉ HASTA EL FINAL

*«Es indecoroso de nuestra parte insistir en que
solo los humanos sufren, si nosotros mismos
nos portamos de una manera tan indiferente
frente a los demás animales.»*
CARL SAGAN (1934-1996)

Ya has leído sobre los problemas que teníamos a la hora del papeleo. Y cómo no iba a ser así, si ni siquiera entendían bien lo que es un santuario dedicado a salvar animales.

Por suerte, las cosas fueron cambiando poco a poco. Una veterinaria del Departamento de Ganadería se hizo vegana. Y un día nos llamaron para preguntarnos si queríamos salvar a dos vacas, Olivia y Freser, que iban a ser enviadas al matadero por un problema burocrático (¡otra gran razón para matar a seres vivos!). Era muy probable que estuvieran embarazadas.

A la mañana siguiente de llegar Olivia y Freser, dejamos abierta la parte de arriba de la puerta de su habitación para que, al ver pasar a las vacas y a los toros del Santuario hacia los prados grandes, pudieran saludarlas y que así se fueran conociendo poco a poco. La primera en acercarse fue

Macarena, luego Pedro e Isaac y por último Samuel, que se obsesionó por besar a Olivia.

Freser tenía tanto miedo que intentaba embestirnos continuamente. Era comprensible: el día que fuimos a recogerlas, su dueño le iba pegando con un palo para que subiera al remolque. Nosotros jamás hemos tenido que agredir a ninguno de nuestros rescatados, ni siquiera a los más maltratados y que no confiaban tanto en nosotros.

En cuanto a Olivia, una ecografía confirmó que estaba embarazada de unos cinco meses. Tenía diarreas continuas, y una analítica dio unos resultados horribles: sufría una enfermedad crónica que podía provocar abortos y malformaciones en los fetos.

Poco después, Olivia se tumbó y no pudo levantarse por más que lo intentara, ni siquiera con nuestra ayuda. La veterinaria Irati vino de urgencia para comprobar su estado y el del feto. Las constantes vitales eran buenas y aún no estaba de parto, pero presentaba una gran debilidad en las extremidades. La levantamos con el tractor y un arnés especial, pero no se mantenía en pie por sí sola. Es muy peligroso que las vacas pasen tanto tiempo tumbadas porque les puede provocar timpanismo y morir.

A la mañana siguiente, cuando fui a verla, me la encontré rodeada de todos los humanos que vivían en el Santuario. Unos le daban agua y otros comida, le movían la sombrilla para que siempre tuviera sombra, y otros limpiaban bien todo su espacio. Lloré, emocionado: aquella era la esencia de nuestra misión, un trabajo hecho desde el amor.

Por fin tuvimos que provocarle el parto; si seguía así morirían ella y el bebé. Dio a luz a una cría que vino de culo y prematura. Lo habíamos intentado todo para salvarla, pero le faltaban unas tres semanas más de desarrollo y nos resultó imposible. Nunca había visto a la veterinaria Irati como aquel día, quizá porque ella también estaba embarazada.

Fue un golpe muy duro para todos, y ninguno éramos capaces de decir nada, solo podíamos abrazarnos y llorar. Pero había que sacar fuerzas de donde fuera: teníamos que conseguir que Olivia se recuperara y pudiera levantarse, porque si no moriría también.

Pero los días pasaban y ella seguía igual. Cada día la levantábamos nosotros para cambiarla de postura y hacerle fisioterapia en las extremidades. Olivia sabía que la estábamos ayudando y se dejaba hacer de todo, tranquila. Incluso

cuando la trasladamos a la plataforma para poder manejarla mejor, mientras la llevábamos en volandas en el tractor ella aprovechó para comerse las hojas de los árboles que encontraba a su paso. Sin duda, tenía ganas de vivir.

Me puso de muy mal humor leer un montón de comentarios y correos en los que nos decían que no podíamos seguir permitiendo que Olivia sufriera. Hicimos un vídeo donde yo expliqué indignado que lo que estaban viendo era una vaca que no sufría, que simplemente no podía levantarse. ¡Cómo íbamos a matarla por eso! Nosotros íbamos a ser las manos y los pies de Olivia mientras se recuperaba; para eso está la familia. Por no decir que estaba viviendo mejor que cuando caminaba.

Un par de meses después, mientras la levantábamos con la grúa, empezó a mover las piernas. Fue toda una alegría, y aún más porque, a la vez, durante esos días juntamos a Freser con las demás vacas y toros. Fue precioso ver a la pequeña Mercè, que ya no era tan pequeña, corriendo hacia ella para jugar. Freser estaba cada día mejor, aunque seguía sin confiar del todo en nosotros.

Pero Olivia no mejoró, al contrario: cada día estaba más bajita de ánimos. Se estaba abandonando, ya estaba cansada, así que tuvimos que acabar ayudándola a irse. Nos reunimos todos con ella y no paramos de darle cariño, le dijimos que la queríamos mucho y que iba a dejar un vacío muy grande en nuestros corazones, pero que en el lugar al que se iba ya no sufriría más. Era un lugar sin explotación ni maldad, donde estaría rodeada de todos los hijos que le habían arrebatado.

Coque y yo teníamos que ser fuertes por todos. Habíamos vivido muchas muertes y sabíamos que esas heridas nunca cicatrizan, y más cuando te implicas tanto en un caso.

Todo aquello me dio mucho que pensar, sobre todo las reacciones en las redes. Desde que yo nací había visto a mi madre en silla de ruedas y, desde luego, a nadie se le había pasado nunca por la cabeza aplicarle la eutanasia. Y, sin embargo, era justo lo que nos pedían hacer con Olivia.

De alguna forma, incluso muchos amantes de los animales les aplican sin darse cuenta un estándar diferente, menor que a los humanos. Ya otras veces nos habían acusado de dedicar demasiados recursos a una criatura que sufría.

Era como si, ante ciertas especies, lo bueno fuera rendirse a la primera, sacrificarlas en cuanto algo fuera un poco mal. Y yo me preguntaba: «¿Vale la pena crear un santuario de animales para actuar así?». La respuesta, para mí, está más que clara.

HASTA QUE LA ÚLTIMA JAULA QUEDE VACÍA

*«El alma es la misma en todas las criaturas,
aunque el cuerpo de cada uno es diferente.»*
Hipócrates (460-370 a. C.)

Hay a quienes este capítulo les parecerá un despropósito. A otros no los sorprenderá nada; seguro que ya lo veían venir. Pero quiero hablar desde el fondo de mi corazón de mi mejor amigo. Y de su muerte. Y de que era un toro.

Cada agosto preparábamos con mucha ilusión la celebración del cumpleaños de nuestro querido Samuel. Aunque había nacido el día 21, lo celebrábamos el 27, el día que había llegado al Santuario y que había comenzado a vivir de verdad.

En su tercer cumpleaños pusimos un vídeo muy divertido y emotivo de la celebración. Él estaba con Isaac y Maya, y cuando lo llamé vino muy contento. Muchos voluntarios y yo habíamos preparado una mesa llena de frutas que hacían la forma de una tarta, con zanahorias por velitas. Le cantábamos el *Cumpleaños feliz* y tiramos confeti. Gloria tenía en brazos a la pequeña Matilde, y poco después se nos unieron los propios Isaac y Maya.

Cosas de la vida, en agosto de 2019 lo hicimos al revés y lo celebramos el día 21. Cuando venían de los prados grandes las vacas y los toros, con Tina en primer lugar, seguida por Samuel, de repente recordé que era su cumpleaños. A toda prisa le preparamos algo improvisado. Mientras le cantábamos el *Cumpleaños feliz* y le dábamos la fruta él estuvo muy raro. Nos extrañó muchísimo, porque lo que más le gustaba era estar con nosotros, pero pensamos que simplemente se estaba haciendo mayor o no tenía su mejor día, como nos puede pasar a cualquiera.

La mañana del 28 de agosto Samuel no quiso irse a los prados grandes con los demás porque quería estar conmigo. Como teníamos una conexión tan especial y nos entendíamos perfectamente, lo dejé que saliera del patio y se viniera conmigo a la oficina. Por el camino se iba parando, mirándolo todo, saludando a los cerdos y observando las construcciones nuevas, como si se sintiera orgulloso por lo mucho que estaba creciendo el Santuario. Al llegar a El Cobert le presentamos a Valentí, y al saludarse los dos recordé la misma imagen en el logo del Santuario. La actitud de Samuel era muy extraña, como si le estuviera cediendo su legado.

El jueves 29 de agosto, a las 14:16, publiqué:

SAMUEL ESTÁ MUY GRAVE
No hemos parado desde esta mañana.
Olivia me avisó de que Samuel estaba en los prados pequeños, abajo del todo, muy débil y sin poder mo-

verse. Fui corriendo y, como confía tanto en mí, hizo el sobresfuerzo de levantarse y caminar poco a poco hasta arriba, a la nave. Hemos tardado mucho pero lo ha conseguido.

Vino la veterinaria de urgencia y lo hemos tenido con suero. Ya le hemos puesto toda la medicación, porque gracias a que tenemos la máquina de las analíticas en el Santuario hemos podido actuar rápido. Ha sufrido una recaída de la piroplasmosis, y esta vez tiene muy afectados los riñones.

Todos han visto cómo me hablaba, intentando contarme lo que le pasa. Y aquí estoy, a su lado, porque es mi niño y, aunque le duelan las pruebas que le hacemos, sabe que es para ayudarlo.

Nunca he tenido una conexión así con nadie, ni siquiera con un humano. No os podéis imaginar cómo tengo ahora mismo el corazón, porque Samuel está muy grave, aunque sé que es fuerte y que juntos saldremos de nuevo victoriosos.

TE QUIERO, MI AMOR.

Me hizo recordar aquella tarde de diciembre de 2015 en que Samuel no podía volver de los prados grandes porque estaba muy débil; a pesar de eso, hizo el esfuerzo de ir caminando conmigo poco a poco hasta el patio de la nave. Tardamos casi dos horas en recorrer doscientos metros, pero mi niño confiaba tanto en mí que hacía lo que yo, su papi, le pidiera. Tenía fiebre y estuvo durante muchos días tan enfermo que pensamos que iba a morir. No comía y yo le daba papillas. Coque le ponía continuamente suero y dormíamos con él. Las analíticas nos dijeron que tenía piroplasmosis.

Me sentía muy culpable porque Samuel llevaba días intentando decirme que no se encontraba bien, pero con las prisas, el estrés y todas las preocupaciones del Santuario no supe entenderlo. Cuando por la tarde vino Irati a ayudar, Coque acababa de irse por fin de vacaciones, muy necesarias después de tanto tiempo trabajando sin parar. Justamente cuando le avisé de que Samuel estaba enfermo acababa de embarcar en el avión. Le dije que no se preocupara, que la veterinaria estaba con nosotros, que Samuel ya había salido de otra situación como aquella, y que desconectara, que en el Santuario lo necesitábamos al ciento por ciento.

La mañana del 30 de agosto Samuel nos dejaba, sin que pudiésemos hacer nada por salvarle la vida. No podía creérmelo; me dio tal ataque de ansiedad que hoy solo recuerdo lo que aparece en el directo que hice llorando desesperadamente. Mi mejor amigo había muerto, y mi Coquito no estaba conmigo para abrazarme.

Siempre evitaba llorar la muerte de un animal delante de los voluntarios para que no se vinieran abajo; lo hacía en la soledad de mi habitación. Pero en ese momento no era yo, y el directo fue un grito de auxilio. Estaba pidiendo que todas esas personas que amaban tanto a Samuel me ayudaran a soportar el inmenso dolor. No era capaz de hablar ni contar nada. Miraba a Tina y pensaba que se quedaba sin su protector, miraba a Isaac y pensaba en que Samuel había sido su apoyo a la muerte de su madre, era su hermano mayor.

Aquello me superaba. Samuel se había ido y ya no iba a volver más, mi Samuel, mi alma gemela, mi compañero de vida. Él era quien me ayudaba con la adaptación de los casos más complicados, quien se enfadaba conmigo si me iba de día libre y no me veía, tanto que apartaba la cara, aunque al rato volvía a agachar la cabeza para que lo abrazara. Éramos iguales: los enfados no nos duraban más de cinco minutos, teníamos prontos pero enseguida los olvidábamos.

Fueron momentos de impotencia, rabia, dolor, y una profunda tristeza. Mucha gente creía que yo llevaba una vida idílica, pero lo cierto es que muy pocas personas podrían aguantarla. Sí, hay muchas cosas bonitas, y hay quien no ve más allá de los vídeos de animales felices, pero ignoran lo

mucho que también nos hace sufrir. La realidad de un santuario es que a veces no puedes más con tu vida.

Ese directo también era una forma de homenaje a Samuel, fue lo único que se me ocurrió hacer en ese momento de dolor. Eran muchas las personas de partes diferentes del mundo que querían a mi Samuel, y que lo sentían como un miembro de su familia. Era una manera también de que todos pudiéramos llorar juntos su pérdida, sin decir nada, solo un ADIÓS.

¿Sabéis qué era lo que me encantaba hacer por las mañanas cuando pasaba por la zona de las vacas y los toros? Gritaba con todas mis fuerzas: «¡¡¡¡BUENOS DÍAS, SAMUEL!!!!». Y aunque estuviera lejos, al oírme se giraba para mirarme. ¿Y ahora qué iba a hacer? Eran muchas las cosas que nuestros seguidores no vivían, y eso que siempre me he preocupado de que vivan conmigo muchas de las cosas que pasan aquí. Soy tan activo en las redes en agradecimiento a la ayuda de quienes colaboran con nosotros; sin ella el Santuario no sería posible.

Samuel y yo teníamos una conexión tan fuerte que no hay palabras que puedan describirla. Para mí era el ser más importante en mi vida, incluso más que los miembros de mi familia humana. Nunca he sentido algo tan fuerte por nadie como por Samuel. Entonces y ahora.

No cuento esto porque sea espiritual. No creo en Dios, ni en el karma ni en las energías; solo creo en lo que puedo ver. No soy ningún ser de luz, ningún ángel, y por eso cuando alguien me conoce en persona se decepciona al ver que soy normal y hago las cosas como cualquier humano. Me gustan las mismas cosas que a todos: el sexo, bailar, cantar, salir a tomar una copa con los amigos y reírme con ellos hasta que amanece.

Pero una cosa sí tengo muy clara, y quizás eso sea lo que me hace un poco diferente (no mejor): mi enorme amor por los animales. Desde el día de mi promesa en la granja de vacas lecheras de Mallorca, he dedicado mi vida a salvarlos. Tengo un compromiso con los animales y voy a cumplirlo hasta el día que me muera. Como bien dice uno de mis tatuajes, *hasta que la última jaula quede vacía.*

Va por ti, Samuel.

EL MAYOR HONOR QUE PUEDE HACERTE UNA VACA

*«Un animal en tu vida te
hace mejor humano.»*
RACHEL RAY (1968)

Como sucede tantas veces, uno de los momentos más bonitos de mi vida me llegó justo en mitad de uno de los peores.

La muerte de Samuel me había afectado muchísimo. Coque estaba de vacaciones, no lo tenía a mi lado. Me sentía culpable por no poder contener el dolor hasta que volviera y ayudarlo a desconectar. Y es que él también lo había pasado fatal; ni siquiera había podido despedirse de nuestro niño.

Comenzaba una nueva etapa en mi vida sin Samuel a mi lado. O sí, porque cada uno de los rescatados que viven en el Santuario tiene algo de Samuel, por lo que al mirarlos lo sigo viendo a él.

Necesitaba tiempo, necesitaba alejarme un poco. No tenía fuerza como para mostrarme en las redes. Me sentía muy vulnerable. Solo el recordar todas mis historias con animales desde mi infancia me dio el valor para levantarme de la cama, por el bien del Santuario y el mío.

Decidí irme a Sitges para pasar unos días con mi amigo Sergi, que me ayudaría a superar la pérdida tan grande. También necesitaba ver a mi amigo Jordi e ir a su barbería para que me pusiera guapo y hablar con él; siempre me ha dado muy buenos consejos.

Recuerdo que, en el momento en el que me levanté de la cama y miré una foto de Samuel que tengo colgada en la pared, me vino a la memoria cuando vio por primera vez de pequeño la chimenea y se quedó embobado mirando el fuego. Pensé que él siempre había sido fuerte, que llegó muy enfermo y consiguió sobrevivir. No dejaba de pensar en él.

Cuando llegué a Sitges, ni siquiera pude ir a tomar una copa con Sergi. Temía ver a la gente, que me dieran el pésame por Samuel y me derrumbara. Al día siguiente, Lia me llamó muy preocupada: Freser había desaparecido. Por suerte, la encontraron justo en el momento en el que me montaba en el coche para volver. De todas formas, tuve que hacerlo al día siguiente, cuando me mandaron un whatsapp con una foto y me decían que tenía sangre en el culo. Enseguida vi que no era eso, no sangraba del culo: Freser estaba de parto.

Cuando llegué, hacía más de una hora que le asomaba una pezuñita. La veterinaria Irati estaba en otra urgencia y no podía venir, así que me dijo que tenía que ayudarla a parir yo o la bebé moriría.

Tal como me indicó, metí las manos para comprobar que la pequeña estaba en posición, la agarré por los pies y tiré de ella mientras Marta, Bea, Jose, Lia y Olivia tiraban de mí, aprovechando las contracciones. La verdad es que me siento muy orgulloso de ese día porque actué con mucha calma. Por extraño que parezca yo sentía que Samuel me estaba ayudando. En uno de los tirones la criatura cayó sobre mí, y nos pusimos todos a llorar de alegría.

Nos reímos mucho cuando vimos al CARA PAN llorar, que así es como llamamos en el Santuario a Jose, porque va de machito y ese día lloraba más que yo. ¡Qué momento tan bonito! Yo informaba en todo momento a Coque por whatsapp pero no le llegaban los mensajes, y cuando le llegó todo, se encontró con la inmensa alegría de que había nacido la primera ternera en el Santuario, una ternera que no conocería nunca el maltrato ni la explotación.

Decidimos llamarla Savi (Sa por Samuel y Vi por Victoria). Nos sorprendió mucho la actitud de Freser, ya que se dejó ayudar en todo momento, y eso que no nos podíamos acercar a ella a menos de dos metros porque nos embestía. Cuando le mostré a su bebé se puso a llorar y besarme.

Pero en aquella escena había mucho más que la felicidad de una madre. Al mirarla entendí lo que me estaba pidiendo. Sabía que no iba a sobrevivir, así que me estaba entregando a su hija y pidiéndome que la cuidara. La besé, le dije «Gracias, gracias, cariño» y le ofrecí la cabeza de su hija para que la besara.

Freser no podía levantarse, cosa normal después de un parto. Yo no me aparté de su lado en ningún momento. Freser no paraba de besar a su hija y empujarla suavemente hacía mí, haciendo un sonido muy tierno, como el de una nana, para que la pequeña fuera conmigo.

Aquella noche me quedé a dormir en los prados grandes junto a madre e hija; no quería separarlas. Estuve toda la noche sin dormir, helado y pendiente de las dos. Justo al amanecer vi que la madre nos había dejado debido a una hemorragia interna.

Al recordarlo hoy, me arrepiento de una cosa que hice cuando vi que se estaba yendo: me enfadé mucho con ella, cogí a su hija en brazos y se la puse delante, pidiéndole que por favor que no se fuera, que lo hiciera por la pequeña.

Freser hizo lo que cualquier humana haría si supiera que se va a morir, y fue el asegurarse de entregar a su hija a alguien que fuera a cuidarla, y cuando ella vio que su hija me aceptó como su padre, me miró con mucha ternura al verme con la ternera entre mis brazos y se marchó. Y es que no somos tan diferentes los humanos; ellos también son animales como tú.

AGRADECIMIENTOS

A todos y a todas las voluntarias que nos han ayudado durante todos estos años y a los que lo harán, a todas las personas que colaboran con el Santuario, tanto económicamente como difundiendo por las redes nuestro trabajo. Coque y yo somos la cara visible, pero es un proyecto hecho de millones de pedacitos de personas del mundo, que creen que es posible cambiar la historia, y es lo que estamos haciendo entre todos, porque llegará el día en el que los animales serán vistos como a iguales.

AMADOS Y MUY SEGUIDOS

La Fundación Santuario Gaia tiene miles de seguidores en las redes sociales que se han enamorado de las historias de sus habitantes. Te invitamos a conocer a través de estos vídeos algunos momentos maravillosos de los muchos que nos han regalado.

FRESER, UNA VACA MUY AGRADECIDA

El agradecimiento de Freser a Ismael
por haber ayudado a su pequeña a nacer

https://www.youtube.com/watch?v=OEdO4n9Wa0o&feature=youtu.be

EL REENCUENTRO DE UNA MADRE Y SU HIJO

El feliz momento del reencuentro de Isaac
con su madre tras ser salvado del matadero

https://www.youtube.com/watch?v=P6IwtAq5RME&feature=youtu.be

ANIMALES FELICES EN LA NIEVE

El día en el que los animales humanos
y los no humanos disfrutaron de la nieve

https://www.youtube.com/watch?v=eBQuG90oxdw&feature=youtu.be

LIBERANDO A MARIEKE

El momento en que Ismael libera a Marieke
de sus cadenas tras 40 años de arar el campo
y cargar troncos

https://www.youtube.com/watch?v=E10k7if2_hc

LA FELICIDAD DE PATRICIA CON SU CAMA LIMPIA

A Patricia le encanta cuando
se encuentra su camita limpia

https://www.fundacionsantuariogaia.org/cerdita-paralitica-feliz-al-limpiar-su-cama/

ÍNDICE

Esta quinta edición de *Animales como tú*,
de Ismael López Dobarganes, se terminó de imprimir
en *Grafica Veneta S.p.A. di Trebaseleghe* en Italia
en octubre de 2021.

Para la composición del texto se ha utilizado la tipografía
FF Celeste diseñada por Chris Burke en 1994
para la fundición FontFont.

Duomo Ediciones es una empresa comprometida con el medio
ambiente. El papel utilizado para la impresión de este libro
procede de bosques gestionados sosteniblemente.

PEFC/18-31-226

Este libro está impreso con el sol. La energía que ha hecho
posible su impresión procede exclusivamente de paneles
solares. Grafica Veneta es la primera imprenta
en el mundo que no utiliza carbón.

Este libro es también vegano. Ningún material en su confección,
ni el papel, ni la tinta ni el pegamento utilizan material animal.